名师推荐
Ming Shi Tui Jian

小学生语文新课标必读丛书

·第一辑·

唐诗三百首

TANG SHI SAN BAI SHOU

·彩图注音版·

主编/赵志远

编写/史为昆

延边大学出版社

图书在版编目（CIP）数据

唐诗三百首 / 赵志远主编. −2版.− 延吉：
延边大学出版社，2007.1
（小学生语文新课标必读丛书.第1辑；1）
ISBN 978−7−5634−1481−9

Ⅰ.唐… Ⅱ.赵… Ⅲ.唐诗−少年读物 Ⅳ.I222.742

中国版本图书馆 CIP 数据核字(2007)第 003284 号

小学生语文新课标必读丛书·第一辑

唐诗三百首

主　编	赵志远		编　写	史为昆
责任编辑	何　方		装帧设计	王　亮
插图绘制	名晓少儿		排版制作	于　音
出版统筹	孙　锐		责任印制	刘广阔

出　版	延边大学出版社		地　址	吉林省延吉市公园路977号
印　刷	北京威远印刷厂		经　销	新华书店
开　本	880 × 1230 1/32		印　张	70
版　次	2009年1月第2版第2次印刷			
书　号	ISBN 978-7-5634-1481-9	定	价	100.00元(全十册)

前言

　　唐诗是中国古代诗歌艺术的顶峰。"熟读唐诗三百首，不会写诗也会吟"，作为诗歌文化的启蒙读物，唐诗自然是人们的首选。

　　唐诗内容广泛，有的赞山川田园之美，有的写边塞将士的英勇气概，有的记述民间疾苦和人民愿望，有的抒发个人志向和奋发精神，有的表达人与人之间美好的情感……一首首诗作，一面面镜子，反映社会生活，启迪人们思考。不仅如此，优秀的唐诗还讲究音韵和谐，明白流畅。一个人从小读一些唐诗，对开阔视野，增长知识，提高写作水平很有好处。

　　历来唐诗的选本很多，流传最广的是清朝人蘅塘退士编的《唐诗三百首》，但它的内容对今天的少年儿童来说不是很适用。根据当今少年儿童的实际，我们选编了这本儿童版的《唐诗三百首》。它所选的诗以篇幅短小精悍、内容通俗易懂、读起来朗朗上口的名篇为主，每首原诗都加注有拼音和简洁的注释与译文，并根据情况配上孩子们喜爱的插图，做到诗中有画、画中有诗，进一步帮助孩子们加深对诗歌的理解。我们相信，当可爱的小读者翻开本书时，一定会爱不释手的。

目 录
MU LU

咏鹅……………………………………骆宾王 / 001

绝句……………………………………杜　甫 / 002

绝句……………………………………杜　甫 / 003

望岳……………………………………杜　甫 / 004

旅夜书怀………………………………杜　甫 / 005

登岳阳楼………………………………杜　甫 / 006

江畔独步寻花(之五)…………………杜　甫 / 007

漫兴……………………………………杜　甫 / 008

咏柳……………………………………贺知章 / 009

赋得古原草送别………………………白居易 / 010

暮江吟…………………………………白居易 / 011

钱塘湖春行……………………………白居易 / 012

池上……………………………………白居易 / 013

大林寺桃花……………………………白居易 / 014

题李次云窗竹…………………………白居易 / 015

白云泉…………………………………白居易 / 016

静夜思…………………………………李　白 / 017

望庐山瀑布……………………………李　白 / 018

古朗月行………………………………李　白 / 019

独坐敬亭山……………………………李　白 / 020

早发白帝城·······················李　白 / 021

赠汪伦·····························李　白 / 022

望天门山·························李　白 / 023

月下独酌·························李　白 / 024

清平调·····························李　白 / 025

关山月·····························李　白 / 026

峨眉山月歌·····················李　白 / 027

山中问答·························李　白 / 028

春晓·······························孟浩然 / 029

宿建德江·························孟浩然 / 030

过故人庄·························孟浩然 / 031

清明·······························杜　牧 / 032

山行·······························杜　牧 / 033

泊秦淮·····························杜　牧 / 034

江南春·····························杜　牧 / 035

齐安郡后池·····················杜　牧 / 036

登鹳雀楼·························王之涣 / 037

凉州词·····························王之涣 / 038

鹿柴·······························王　维 / 039

鸟鸣涧·····························王　维 / 040

竹里馆·····························王　维 / 041

田园乐·····························王　维 / 042

山中送别·························王　维 / 043

相思·······························王　维 / 044

终南山·····························王　维 / 045

莲花坞……………………………………王　维 / 046

送梓州李使君……………………………王　维 / 047

山居秋暝…………………………………王　维 / 048

芙蓉楼送辛渐……………………………王昌龄 / 049

出塞………………………………………王昌龄 / 050

采莲曲……………………………………王昌龄 / 051

花岛………………………………………韩　愈 / 052

晚春………………………………………韩　愈 / 053

江雪………………………………………柳宗元 / 054

登乐游原…………………………………李商隐 / 055

竹枝词……………………………………刘禹锡 / 056

望洞庭……………………………………刘禹锡 / 057

乌衣巷……………………………………刘禹锡 / 058

秋词………………………………………刘禹锡 / 059

潇湘神……………………………………刘禹锡 / 060

听弹琴……………………………………刘长卿 / 061

逢雪宿芙蓉山主人………………………刘长卿 / 062

秋日登吴公台上寺远眺…………………刘长卿 / 063

寻南溪常道士……………………………刘长卿 / 064

春怨………………………………………金昌绪 / 065

江村即事…………………………………司空曙 / 066

钓鱼湾……………………………………储光羲 / 067

五岁吟花…………………………………陈知玄 / 068

风…………………………………………李　峤 / 069

中秋夜……………………………………李　峤 / 070

送兄……………………………………七岁女 / 071

湘江曲……………………………………张　籍 / 072

成都曲……………………………………张　籍 / 073

题西施石…………………………………王　轩 / 074

哥舒歌……………………………………西鄙人 / 075

题破山寺后禅院…………………………常　建 / 076

题都城南庄………………………………崔　护 / 077

小儿垂钓…………………………………胡令能 / 078

滁州西涧…………………………………韦应物 / 079

寻隐者不遇………………………………贾　岛 / 080

悯农(其一)………………………………李　绅 / 081

终南望余雪………………………………祖　咏 / 082

送杜少府之任蜀州………………………王　勃 / 083

山中………………………………………王　勃 / 084

逢入京使…………………………………岑　参 / 085

兰溪棹歌…………………………………戴叔伦 / 086

题三闾大夫庙……………………………戴叔伦 / 087

蝉…………………………………………虞世南 / 088

望月怀远…………………………………张九龄 / 089

牧童词……………………………………李　涉 / 090

早梅………………………………………张　谓 / 091

华子冈……………………………………裴　迪 / 092

塞下曲(其二)……………………………卢　纶 / 093

宿石邑山中………………………………韩　翃 / 094

桃花溪……………………………………张　旭 / 095

送梁六自洞庭山…………………………张　说 / 096

从军行……………………………………杨　炯 / 097

阙题………………………………………刘眘虚 / 098

题金陵渡…………………………………张　祜 / 099

晓日………………………………………韩　偓 / 100

题菊花……………………………………黄　巢 / 101

送朱大入秦………………………………孟浩然 / 102

望洞庭赠张丞相…………………………孟浩然 / 102

洛中访袁拾遗不遇………………………孟浩然 / 103

登幽州台歌………………………………陈子昂 / 103

夜宿山寺…………………………………李　白 / 104

黄鹤楼送孟浩然之广陵…………………李　白 / 104

估客行……………………………………李　白 / 105

子夜吴歌…………………………………李　白 / 105

白鹭鸶……………………………………李　白 / 106

秋浦歌……………………………………李　白 / 106

哭宣城善酿纪叟…………………………李　白 / 107

越女词五首(其三)………………………李　白 / 107

客中行……………………………………李　白 / 108

观放白鹰二首(其一)……………………李　白 / 108

春思………………………………………李　白 / 109

黄鹤楼闻笛………………………………李　白 / 109

春夜洛城闻笛……………………………李　白 / 110

送友人……………………………………李　白 / 110

劳劳亭……………………………………李　白 / 111

怨情·························李　白 / 111

塞下曲(其一)·················卢　纶 / 112

逢病军人·····················卢　纶 / 112

富贵曲·······················郑　遂 / 113

孤雁·························杜　甫 / 113

前出塞·······················杜　甫 / 114

水槛遣心二首(其一)···········杜　甫 / 114

八阵图·······················杜　甫 / 115

月夜·························杜　甫 / 115

绝句二首(其二)···············杜　甫 / 116

春夜喜雨·····················杜　甫 / 116

春望·························杜　甫 / 117

绝句漫兴·····················杜　甫 / 117

赠花卿·······················杜　甫 / 118

江畔独步寻花(之六)···········杜　甫 / 118

江南逢李龟年·················杜　甫 / 119

月夜忆舍弟···················杜　甫 / 119

天末怀李白···················杜　甫 / 120

曲江(其二)···················杜　甫 / 120

曲池荷·······················卢照邻 / 121

浴浪鸟·······················卢照邻 / 121

公子行·······················孟宾于 / 122

蓝桥驿见元九诗···············白居易 / 122

遗爱寺·······················白居易 / 123

问刘十九·····················白居易 / 123

花非花……………………………………白居易 / 124

鸟………………………………………白居易 / 124

观游鱼……………………………………白居易 / 125

村夜……………………………………白居易 / 125

观刈麦……………………………………白居易 / 126

夜雪……………………………………白居易 / 126

勤政楼西老柳……………………………白居易 / 127

白石滩………………………………………王　维 / 127

辛夷坞………………………………………王　维 / 128

九月九日忆山东兄弟………………………王　维 / 128

送元二使安西………………………………王　维 / 129

杂诗…………………………………………王　维 / 129

酬张少府……………………………………王　维 / 130

山中…………………………………………王　维 / 130

过香积寺……………………………………王　维 / 131

采莲子………………………………………皇甫松 / 131

寄人…………………………………………张　泌 / 132

云……………………………………………来　鹄 / 132

寄扬州韩绰判官……………………………杜　牧 / 133

题乌江亭……………………………………杜　牧 / 133

赤壁…………………………………………杜　牧 / 134

过华清宫……………………………………杜　牧 / 134

秋夕…………………………………………杜　牧 / 135

金谷园………………………………………杜　牧 / 135

将赴吴兴登乐游原一绝……………………杜　牧 / 136

赠别(其二)······杜　牧 / 136

春游······韩　愈 / 137

早春······韩　愈 / 137

柳溪······韩　愈 / 138

春雪······韩　愈 / 138

劝学······颜真卿 / 139

浪淘沙词九首(其八)······刘禹锡 / 139

春词······刘禹锡 / 140

秋风引······刘禹锡 / 140

戏赠看花诸君子······刘禹锡 / 141

浪淘沙(其一)······刘禹锡 / 141

对花······于　濆 / 142

秋思······张　籍 / 142

移家别湖上亭······戎　昱 / 143

塞下曲······戎　昱 / 143

赋新月······缪氏子 / 144

偶书······刘　叉 / 144

晚晴······李商隐 / 145

嫦娥······李商隐 / 145

板桥晓别······李商隐 / 146

宿骆氏亭寄怀崔雍崔衮······李商隐 / 146

霜月······李商隐 / 147

为有······李商隐 / 147

瑶池······李商隐 / 148

夜雨寄北······李商隐 / 148

陇西行·····························陈　陶 / 149

营州歌·····························高　适 / 149

别董大·····························高　适 / 150

除夜作·····························高　适 / 150

塞上闻笛·····························高　适 / 151

小松·····························杜荀鹤 / 151

再经胡城县·····························杜荀鹤 / 152

蚕妇·····························杜荀鹤 / 152

戏问花门酒家翁·····························岑　参 / 153

行军九日思长安故园·····························岑　参 / 153

西过渭州见渭水思秦川·····························岑　参 / 154

碛中作·····························岑　参 / 154

咏风·····························虞世南 / 155

早秋·····························许　浑 / 155

咸阳城西楼晚眺·····························许　浑 / 156

秋日赴阙题潼关驿楼·····························许　浑 / 156

寒食·····························韩　翃 / 157

台城·····························韦　庄 / 157

山中留客·····························张　旭 / 158

春庄·····························王　勃 / 158

春游·····························王　勃 / 159

寒夜思友·····························王　勃 / 159

续父井梧吟·····························薛　涛 / 160

陈情上韦令公·····························薛　涛 / 160

在狱咏蝉·····························骆宾王 / 161

易水送别……………………………………骆宾王 / 161

春闺思………………………………………张仲素 / 162

春思…………………………………………贾　至 / 162

感遇(其一)…………………………………张九龄 / 163

照镜见白发…………………………………张九龄 / 163

湖口望庐山瀑布水…………………………张九龄 / 164

答陆澧………………………………………朱　放 / 164

蜀道后期……………………………………张　说 / 165

幽州夜饮……………………………………张　说 / 165

闺怨…………………………………………沈如筠 / 166

次北固山下…………………………………王　湾 / 166

巴女谣………………………………………于　鹄 / 167

送郭司仓……………………………………王昌龄 / 167

从军行(其二)………………………………王昌龄 / 168

从军行(其五)………………………………王昌龄 / 168

长信怨………………………………………王昌龄 / 169

送柴侍御……………………………………王昌龄 / 169

己亥岁感事…………………………………曹　松 / 170

题袁氏别业…………………………………贺知章 / 170

回乡偶书……………………………………贺知章 / 171

题诗后………………………………………贾　岛 / 171

题李凝幽居…………………………………贾　岛 / 172

剑客…………………………………………贾　岛 / 172

江行无题……………………………………钱　珝 / 173

春晚书山家屋壁……………………………贯　休 / 173

瀑布……………………………………施肩吾 / 174

岭上逢久别者又别……………………权德舆 / 174

春行寄兴……………………………………李 华 / 175

送灵澈上人…………………………………刘长卿 / 175

送李判官之润州行营……………………刘长卿 / 176

送上人………………………………………刘长卿 / 176

马诗…………………………………………李 贺 / 177

淮上渔者……………………………………郑 谷 / 177

江南曲………………………………………李 益 / 178

喜见外弟又言别……………………………李 益 / 178

山亭夏日……………………………………高 骈 / 179

枫桥夜泊……………………………………张 继 / 179

牧童…………………………………………刘 驾 / 180

惊雪…………………………………………陆 畅 / 180

南池…………………………………………李 郢 / 181

边词…………………………………………张敬忠 / 181

贞元十四年旱甚见权门移芍药花………吕 温 / 182

送崔九………………………………………裴 迪 / 182

寄外征衣……………………………………陈玉兰 / 183

焚书坑………………………………………章 碣 / 183

咏绣幛………………………………………胡令能 / 184

寒塘…………………………………………赵 嘏 / 184

江楼感旧……………………………………赵 嘏 / 185

赐萧瑀………………………………………李世民 / 185

江南曲四首(其三)…………………………储光羲 / 186

月夜……………………………………刘方平 / 186

离思……………………………………元　稹 / 187

溪居即事………………………………崔道融 / 187

鸡………………………………………崔道融 / 188

牧竖……………………………………崔道融 / 188

秋夜寄丘员外…………………………韦应物 / 189

金缕衣…………………………………杜秋娘 / 189

春草……………………………………唐彦谦 / 190

劝学……………………………………孟　郊 / 190

登科后…………………………………孟　郊 / 191

古别离…………………………………孟　郊 / 191

洛桥晚望………………………………孟　郊 / 192

游子吟…………………………………孟　郊 / 192

丹阳送韦参军…………………………严　维 / 193

渔父……………………………………李　中 / 193

十月十五夜……………………………苏味道 / 194

渡汉江…………………………………宋之问 / 194

长干曲(之二)…………………………崔　颢 / 195

古谣……………………………………王　建 / 195

新嫁娘词………………………………王　建 / 196

十五夜望月寄杜郎中…………………王　建 / 196

左掖梨花………………………………丘　为 / 197

柳州二月榕叶落尽偶题………………柳宗元 / 197

与浩初上人同看山寄京华亲故………柳宗元 / 198

渔翁……………………………………柳宗元 / 198

和练秀才杨柳……………………………杨巨源 / 199

城东早春………………………………杨巨源 / 199

孤雁……………………………………崔　涂 / 200

雨晴……………………………………王　驾 / 200

社日……………………………………王　驾 / 201

拜新月…………………………………李　端 / 201

野望……………………………………王　绩 / 202

农家……………………………………颜仁郁 / 202

少年行…………………………………令狐楚 / 203

悯农（其二）…………………………李　绅 / 203

伤田家…………………………………聂夷中 / 204

蜂………………………………………罗　隐 / 204

凉州词…………………………………王　翰 / 205

归雁……………………………………钱　起 / 205

柏林寺南望……………………………郎士元 / 206

听邻家吹笙……………………………郎士元 / 206

征人怨…………………………………柳中庸 / 207

咏 鹅
骆宾王

鹅鹅鹅，
曲项向天歌。
白毛浮绿水，
红掌拨清波。

译文 鹅，鹅，鹅，弯着脖颈，向着天空歌唱。洁白的羽毛漂浮在碧绿的水面上，红红的鹅掌拨动着清清的水波。

绝句

杜甫

两个黄鹂鸣①翠柳，
一行白鹭②上青天。
窗含③西岭④千秋雪，
门泊⑤东吴⑥万里船。

注释 ①黄鹂：黄莺。②白鹭：鹭鸶的一种。③窗含：窗前景物好似嵌含在窗框里的画。④西岭：成都西面的岷山。⑤泊：停船靠岸。⑥东吴：指长江下游一带。

译文 两只黄鹂在绿柳枝头鸣叫，一行白鹭正飞上蓝天。从窗口望去，远处是岷山千年不化的积雪，好像镶嵌在窗框里的画一样美丽，门外江面上停泊着从万里以外的东吴驶来的客船。

绝句

杜甫

两个黄鹂鸣①翠柳，
一行白鹭②上青天。
窗含③西岭④千秋雪，
门泊⑤东吴⑥万里船。

注释 ①黄鹂：黄莺。②白鹭：鹭鸶的一种。③窗含：窗前景物好似嵌含在窗框里的画。④西岭：成都西面的岷山。⑤泊：停船靠岸。⑥东吴：指长江下游一带。

译文 两只黄鹂在绿柳枝头鸣叫，一行白鹭正飞上蓝天。从窗口望去，远处是岷山千年不化的积雪，好像镶嵌在窗框里的画一样美丽，门外江面上停泊着从万里以外的东吴驶来的客船。

绝 句
jué jù

杜 甫
dù fǔ

chí rì jiāng shān lì
迟日①江山丽，

chūn fēng huā cǎo xiāng
春风花草香。

ní róng fēi yàn zi
泥融②飞燕子，

shā nuǎn shuì yuān yāng
沙暖睡鸳鸯③。

注释 ①迟日：指春日。②泥融：泥土湿软。③鸳鸯：一种飞鸟，常成对地生活在水上。

译文 春天明媚，江山显得格外秀丽，春风吹拂，送来了花草飘香。泥土松软滋润，燕子戏飞，衔着湿软的泥土垒窝，一对对的鸳鸯安静地睡在温暖的沙滩上。

wàng yuè
望 岳

dù fǔ
杜 甫

dài zōng fú rú hé? qí lǔ qīng wèi liǎo
岱宗夫如何？齐鲁青未了。

zào huà zhōng shén xiù yīn yáng gē hūn xiǎo
造化钟神秀，阴阳割昏晓。

dàng xiōng shēng céng yún jué zì rù guī niǎo
荡胸生层云，决眦入归鸟。

huì dāng líng jué dǐng yì lǎn zhòng shān xiǎo
会当凌绝顶，一览众山小。

译文 泰山景象怎么样呢？它很大，青翠的山峦绵延，在古代齐鲁两国之外还能看见它青青的山影。大自然把神奇秀丽的景色都集聚在泰山上，山北山南被阳光分割成黄昏和早晨。山间缭绕的层层烟云激荡着人的胸怀，极目远眺，看见鸟雀纷纷归巢。一定要登上最高峰，放眼去看那一座座矮小的山冈。

旅夜书怀

杜甫

细草微风岸，危樯独夜舟。
星垂平野阔，月涌大江流。
名岂文章著，官应老病休。
飘飘何所似？天地一沙鸥。

译文　微风吹拂着岸边的小草，竖着高高桅杆的小船在夜色中孤单地停泊在水面。远处繁星垂挂在空阔的原野上空，月影随着波涛在江面翻动起伏。我的名声难道是因为文章写得出众，年老多病我才离开官位。这漂泊不定的身世像什么？正好像天地之间一只孤单飞行的沙鸥。

dēng yuè yáng lóu
登岳阳楼

杜 甫

xī wén dòng tíng shuǐ　jīn shàng yuè yáng lóu
昔 闻 洞 庭 水，今 上 岳 阳 楼。

wú chǔ dōng nán chè　qián kūn rì yè fú
吴 楚 东 南 坼，乾 坤 日 夜 浮。

qīn péng wú yí zì　lǎo bìng yǒu gū zhōu
亲 朋 无 一 字，老 病 有 孤 舟。

róng mǎ guān shān běi　píng xuān tì sì liú
戎 马 关 山 北，凭 轩 涕 泗 流。

译文 从前听说过洞庭湖景色壮美，如今终于登上这岳阳楼。洞庭湖将吴国和楚国分开，日月星辰好像日夜飘浮在湖水之上。亲朋好友没有一点儿音讯，年老多病的我只有一叶小舟相伴。想到关山以北战火燃烧，我不禁倚着小窗泪如雨下。

jiāng pàn dú bù xún huā

江畔独步寻花(之五)^{zhī wǔ}

dù fǔ
杜 甫

huáng shī tǎ qián jiāng shuǐ dōng
黄师塔前江水东①,

chūn guāng lǎn kùn yǐ wēi fēng
春光懒困倚微风。

táo huā yí cù kāi wú zhǔ
桃花一簇②开无主,

kě ài shēn hóng ài qiǎn hóng
可爱深红爱浅红?

注释 ①东:向东流。②一簇:一丛。

译文 黄师塔前江水滚滚向东流,沐着暖暖的春光和微风又懒又困地春游。一簇簇盛开的桃花好像没有主人,见了究竟喜爱深红还是浅红?

màn xìng
漫 兴

杜甫

cháng duàn chūn jiāng yù jìn tóu
肠 断 春 江 欲 尽 头，

zhàng lí xú bù lì fāng zhōu
杖 藜 徐 步 立 芳 洲。

diān kuáng liǔ xù suí fēng wǔ
颠 狂 柳 絮 随 风 舞，

qīng bó táo huā zhú shuǐ liú
轻 薄 桃 花 逐 水 流。

译文 这春江水仿佛流到了尽头令人忧愁，我拄着木杖慢慢走在江中的小洲上。看那骄狂的柳絮随风飘舞，看那轻薄的桃花随水漂流。

yǒng liǔ
咏 柳

hè zhī zhāng
贺知章

bì yù zhuāng chéng yí shù gāo
碧 玉 妆 成 一 树 高，

wàn tiáo chuí xià lǜ sī tāo
万 条 垂 下 绿 丝 绦。

bù zhī xì yè shuí cái chū
不 知 细 叶 谁 裁 出，

èr yuè chūn fēng sì jiǎn dāo
二 月 春 风 似 剪 刀。

译文 春天的柳树就像用碧玉装饰过一样，无数柳条像绿丝带一般低垂飘动着。不知那细长的柳叶是谁的巧手剪裁而出，原来是二月的春风就像剪刀一般锋利。

赋得古原草送别
fù dé gǔ yuán cǎo sòng bié

白居易
bái jū yì

离离①原上草，一岁②一枯荣③。
lí lí yuán shàng cǎo yí suì yì kū róng

野火④烧不尽，春风吹又生。
yě huǒ shāo bú jìn chūn fēng chuī yòu shēng

注释 ①离离：繁茂的样子。②一岁：一年。③枯荣：指草的枯萎和茂盛。④野火：荒山野地的大火。

译文 荒原上的野草一望无边，长得很茂盛。每年秋天枯萎了，到了春天又繁盛起来。野外的大火烧不尽它，春风吹来，它又生长出新芽。

暮江吟①
mù jiāng yín

白居易
bái jū yì

一道残阳②铺③水中，
yí dào cán yáng pū shuǐ zhōng

半江瑟瑟④半江红。
bàn jiāng sè sè bàn jiāng hóng

可怜⑤九月初三夜，
kě lián jiǔ yuè chū sān yè

露似真珠⑥月似弓。
lù sì zhēn zhū yuè sì gōng

注释 ①暮江吟：用诗吟唱傍晚江上的景色。②残阳：夕阳，这里指晚霞。③铺：铺展。④瑟瑟：碧绿色的宝石。这里形容江水碧绿。⑤可怜：可爱。⑥真珠：珍珠。

译文 秋天的傍晚，一片晚霞铺洒在水中，使江水变得一半碧绿，一半通红。九月初三的夜晚多么可爱，小草上的露珠多么像珍珠，天上的月牙儿多么像弯弓。

qián táng hú chūn xíng
钱塘湖①春行

bái jū yì
白居易

gū shān sì běi jiǎ tíng xī
孤山②寺北贾亭③西，

shuǐ miàn chū píng yún jiǎo dī
水面初平云脚低。

jǐ chù zǎo yīng zhēng nuǎn shù
几处早莺争暖树④，

shuí jiā xīn yàn zhuó chūn ní
谁家新燕啄春泥。

注释 ①钱塘湖：即西湖。②孤山：在西湖的后湖与外湖之间，山上有孤山寺。③贾亭：贾公亭，古代西湖名胜，现已被毁。④暖树：向阳的树。

译文 在孤山寺的北边，贾公亭的西边，西湖水刚刚涨起与堤岸平齐，浮云低垂，好像云朵和湖水连成了一片。几只早早飞出的黄莺抢着飞向朝阳的树枝，刚刚从南方飞回的燕子，忙着啄泥衔草，不知要在哪家屋檐下筑巢。

chí shàng
池 上

白居易
bái jū yì

xiǎo wá chēng xiǎo tǐng
小 娃① 撑 小 艇，

tōu cǎi bái lián huí
偷 采 白 莲 回。

bù jiě cáng zōng jì
不 解② 藏 踪 迹，

fú píng yí dào kāi
浮 萍 一 道 开。

注释 ①小娃：小孩。②不解：不懂。

译文 小娃娃撑着小船，悄悄偷采人家白莲回来。他不懂得隐藏踪迹，浮萍被小艇荡开了，留下一条长长的水路。

大林寺^①桃花

dà lín sì táo huā

白居易

rén jiān sì yuè fāng fēi jìn
人间^②四月芳菲^③尽，

shān sì táo huā shǐ shèng kāi
山寺桃花始盛开。

cháng hèn chūn guī wú mì chù
长^④恨^⑤春归无觅处，

bù zhī zhuǎn rù cǐ zhōng lái
不知转入此中来。

注释　①大林寺：在今江西省庐山牯岭西面。②人间：人世间，指大林寺以外的地方。③芳菲：这里泛指花；芳菲尽，花凋谢完了。④长：常常。⑤恨：怨恨。

译文　人间的四月所有的花都已经凋谢了，而大林寺的桃花才盛开。人们常常怨恨春光流逝无处寻觅，却不知它已转到这里面来。

tí   lǐ   cì   yún chuāng zhú
题李次云窗竹

bái jū yì
白居易

bú yòng cái   wéi míng fèng guǎn
不 用 裁^① 为 鸣 凤 管^②，

bù xū jié   zuò diào yú gān
不 须 截^③ 作 钓 鱼 竿。

qiān huā bǎi cǎo diāo líng hòu
千 花 百 草 凋 零 后，

liú xiàng fēn fēn xuě lǐ kàn
留 向 纷 纷 雪 里 看。

注释 ①裁：修整制作。②鸣凤管：竹子做成的吹奏乐器。③截：裁剪。

译文 你家门前那嫩绿的竹子真是漂亮，劝你不要打它的主意，把它做成竹管吹奏或是截制成钓竿。等着看吧，冬天一来，千花百草都凋零枯萎了，只有你家门前的竹子，依然苍翠挺拔，在寒风中迎着飞雪。

bái yún quán
白云泉

bái jū yì
白居易

tiān píng shān shàng bái yún quán
天平山①上白云泉，

yún zì wú xīn shuǐ zì xián
云自无心水自闲。

hé bì bēn chōng shān xià qù
何必奔冲山下去，

gèng tiān bō làng xiàng rén jiān
更添波浪向人间。

注释 ①天平山:在今苏州市西二十里。

译文 天平山上有白云泉涌而出,白云本来就没有思虑泉水也自由流淌。泉水呀,你为什么一定要奔泻下山,再给纷扰多事的人世增添波澜呢?

jìng yè sī
静夜思

lǐ bái
李白

chuáng qián míng yuè guāng
床 前 明 月 光，

yí shì dì shàng shuāng
疑 是 地 上 霜。

jǔ tóu wàng míng yuè
举 头① 望 明 月，

dī tóu sī gù xiāng
低 头 思 故 乡

注释 ①举头：抬头。

译文 床前那明亮洁白的月光，好像是地上铺了一层白霜。抬起头望着天上的明月，低下头来不由得思念起自己的家乡。

wàng lú shān pù bù
望庐山①瀑布

lǐ bái
李白

rì zhào xiāng lú shēng zǐ yān
日照香炉②生紫烟，

yáo kàn pù bù guà qián chuān
遥看瀑布挂前川③。

fēi liú zhí xià sān qiān chǐ
飞流直下三千尺，

yí shì yín hé luò jiǔ tiān
疑④是银河⑤落九天⑥。

注释　①庐山：在今江西省九江市南。②香炉：指香炉峰。③挂前川：在前面悬挂着一条河。④疑：怀疑。⑤银河：神话中天上的河。⑥九天：天的最高处。

译文　太阳照射在香炉峰上，紫色的云霞在四周缭绕。从远处看，庐山瀑布就像挂在前面的一条河。水从数千尺以上的高山飞泻而下，不由得使人怀疑是银河从高天上落了下来。

古朗月行
gǔ lǎng yuè xíng

李白

小时不识月，
xiǎo shí bù shí yuè

呼作白玉盘。
hū zuò bái yù pán

又疑瑶台①镜，
yòu yí yáo tái jìng

飞在青云端。
fēi zài qīng yún duān

注释 ①瑶台：传说中神仙居住的地方。

译文 幼年时不认识月亮，把它叫做白玉盘。又以为它是瑶台上的明镜，飞挂在高高的云端。

dú zuò jìng tíng shān
独坐敬亭山①

李白

zhòng niǎo gāo fēi jìn
众 鸟 高 飞 尽②，

gū yún dú qù xián
孤 云 独 去 闲③。

xiāng kàn liǎng bú yàn
相 看④ 两 不 厌⑤，

zhǐ yǒu jìng tíng shān
只 有 敬 亭 山

注释 ①敬亭山：山名。②尽：没有了。③闲：偷闲，安闲。④相看：你看我，我看你，指诗人和山。⑤厌：厌弃，厌烦。

译文 群鸟飞得没有了踪迹，天上飘浮的孤云也不愿意留下，慢慢向远处飘逸而去。只有我看着高高的敬亭山，敬亭山也默默无语地注视着我，我们俩谁也不会觉得厌烦。谁能理解我此时寂寞的心情，只有这高高的敬亭山了。

zǎo fā bái dì chéng
早发白帝①城

李白

zhāo cí bái dì cǎi yún jiān   qiān lǐ jiāng líng yí rì huán

朝辞白帝彩云间，千里江陵②一日还。

liǎng àn yuán shēng tí bú zhù   qīng zhōu yǐ guò wàn chóng shān

两岸猿声啼不住，轻舟已过万重山。

注释 ①白帝：城名，遗址在今重庆市奉节县白帝山上。②江陵：地方名，今湖北省江陵县，距白帝城约一千二百里。

译文 清晨告别了彩云缭绕的白帝城，千里之外的江陵一天就到。长江岸边的猿声叫个不停，而轻舟已经穿过了千万座大山。

赠汪伦
zèngwāng lún

李白

李白乘舟将欲行，
忽闻岸上踏歌声①。
桃花潭②水深千尺，
不及③汪伦送我情。

注释 ①踏歌声：两脚在地上踏着拍子唱歌。②桃花潭：在今安徽省泾县西南。③不及：不如。

译文 李白坐上小船要去远行，忽然听到岸上汪伦送别的歌声。桃花潭的水即使深有千尺，也比不上汪伦送我的情意深。

wàng tiān mén shān
望天门山①

李白

tiān mén zhōng duàn② chǔ jiāng③ kāi
天门中断②楚江③开,

bì shuǐ dōng liú zhì cǐ huí
碧水东流至此回④。

liǎng àn qīng shān xiāng duì chū
两岸青山相对出⑤,

gū fān yí piàn rì biān lái
孤帆一片日边来。

注释 ①天门山:在今安徽省当涂县与和县境内。②中断:从中间断开。③楚江:长江。④回:旋转。⑤相对出:相对耸立着。

译文 天门山被长江从中间断开,碧绿的江水向东流到这儿就向北转弯流去。江水两岸,青山相对耸立,一只小船从太阳升起的地方缓缓驶来。

yuè xià dú zhuó
月下独酌①

李白

huā jiān yì hú jiǔ
花间一壶酒，

dú zhuó wú xiāng qīn
独酌无相亲②。

jǔ bēi yāo míng yuè
举杯邀③明月，

duì yǐng chéng sān rén
对影成三人。

注释　①独酌：一个人喝酒。②无相亲：没有靠近的人。③邀：邀请。

译文　花丛中，摆上一壶美酒，自斟自饮，没有亲人和朋友相陪。举起酒杯邀请天上明月同我共饮，对着明月和自己的影子，就凑成三个人了。

清平调
qīng píng diào

李白
lǐ bái

云想①衣裳花想容，
yún xiǎng yī cháng huā xiǎng róng

春风拂槛②露华浓③。
chūn fēng fú jiàn lù huá nóng

若非群玉④山头见，
ruò fēi qún yù shān tóu jiàn

会向瑶台⑤月下逢。
huì xiàng yáo tái yuè xià féng

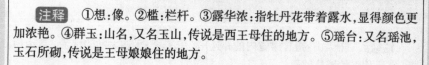

注释 ①想：像。②槛：栏杆。③露华浓：指牡丹花带着露水，显得颜色更加浓艳。④群玉：山名，又名玉山，传说是西王母住的地方。⑤瑶台：又名瑶池，玉石所砌，传说是王母娘娘住的地方。

译文 彩云像她的衣裳，鲜花像她的容貌。春风轻轻吹拂着栏杆，带着露珠的牡丹花，娇艳欲滴。如果不是在群玉山头见过，那一定是在月下的瑶台上与她相逢。

guān shān yuè
关山月

李白

míng yuè chū tiān shān
明月出天山①，

cāng máng yún hǎi jiān
苍茫②云海间。

cháng fēng jǐ wàn lǐ
长风几万里，

chuī dù yù mén guān
吹度玉门关③。

注释　①天山：指甘肃省内的祁连山。②苍茫：无边无际的样子。③玉门关：在今甘肃敦煌县城西。

译文　月亮从天山的山峰升起，浮现在苍茫无垠的云海里。凛冽的寒风似乎从万里之外的家园吹来，吹到这萧索的玉门关。

é méi shān yuè gē
峨眉山月歌

李白

é méi shān yuè bàn lún qiū
峨眉山月半轮秋①，

yǐng rù píng qiāng jiāng shuǐ liú
影入平羌②江水流。

yè fā qīng xī xiàng sān xiá
夜发清溪③向三峡，

sī jūn bú jiàn xià yú zhōu
思君④不见下渝州⑤。

注释 ①半轮秋：半圆的秋月。②平羌：即青衣江，在峨眉山东北。③清溪：即清溪驿，在峨眉山附近。④君：指友人。⑤渝州：在今重庆一带。

译文 峨眉山上有半轮秋月，月影倒映在平羌江上随波逐流。晚上乘着小船从清溪出发驶向三峡，怀着思念而见不到你的心情到渝州。

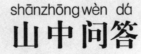

山中问答

李白

问余何意栖碧山①，
笑而不答心自闲。
桃花流水窅然②去，
别有天地非人间。

注释　①碧山：指山色的青翠苍绿。②窅然：深远的样子。

译文　问我为什么居在碧山之中，我微笑着并不回答，心中却自在悠闲。飞落的花随着流水无声无息地远去，这样仙境般的美景非是人间可比。

chūn xiǎo
春 晓①

mèng hào rán
孟浩然

chūn mián bù jué xiǎo
春 眠 不 觉 晓，
chù chù wén tí niǎo
处 处 闻 啼 鸟。
yè lái fēng yǔ shēng
夜 来 风 雨 声，
huā luò zhī duō shǎo
花 落 知 多 少？

注释　①春晓：春天的早晨。

译文　春天的夜晚觉睡得多香，不知不觉天就亮了，醒来时，到处听到鸟儿啼叫。昨夜里风声雨声四起，花儿也不知被吹落了多少？

宿建德江①

sù jiàn dé jiāng

孟浩然
mèng hào rán

移舟泊②烟渚③，
yí zhōu bó yān zhǔ

日暮客愁新④。
rì mù kè chóu xīn

野旷天低树，
yě kuàng tiān dī shù

江清月近人。
jiāng qīng yuè jìn rén

注释 ①建德江：新安江流经建德的一段。②泊：停船靠岸。③渚：指江中的小块陆地。④新：这里是增添的意思。

译文 行船停靠在江中烟雾濛濛的小岛旁，暮色苍茫，增添了旅客新的愁绪。苍茫空旷的原野上，远处天空仿佛比树还低，江水清澈，水中的月影跟船上的人显得好像更近了。

guò gù rén zhuāng
过^①故人庄

mèng hào rán
孟浩然

gù rén jù^② jī shǔ ，yāo wǒ zhì tián jiā
故人具^②鸡黍，邀我至田家。

lǜ shù cūn biān hé ，qīng shān guō wài xiá
绿树村边合，青山郭外斜^③。

kāi xuān miàn cháng pǔ ，bǎ jiǔ huà sāng má
开轩面场圃，把酒话桑麻。

dài dào chóng yáng rì ，hái lái jiù^④ jú huā
待到重阳日，还来就^④菊花。

注释 ①过：拜访。②具：准备。③斜：古音读 xiá。④就：赴，这里指欣赏的意思。

译文 老友备好了黄米饭和烧鸡，邀请我到他的庄户人家做客。浓密的绿树环绕着村庄，村外是苍翠的小山。我们面对着窗外的打谷场和菜园，把酒对饮，闲聊着耕作桑麻的农事。相约等到九月九日重阳节，再来饮酒赏菊花。

清 明
杜 牧

清明①时节雨纷纷②，

路上行人欲断魂③。

借问酒家何处有，

牧童④遥指杏花村。

注释 ①清明：农历二十四节气之一，清明节。②雨纷纷：形容雨下个不停。③断魂：形容十分悲伤愁苦。④牧童：放牛的孩子。

译文 清明这天，细雨绵绵，行路人的心情十分烦闷，像是丢了魂似的。打听哪儿有酒店？放牛的小孩用手指着前边杏花盛开的村子。

shān xíng
山 行

杜牧 (dù mù)

远上寒山①石径②斜③，
yuǎn shàng hán shān shí jìng xiá

白云生处有人家。
bái yún shēng chù yǒu rén jiā

停车坐④爱枫林晚⑤，
tíng chē zuò ài fēng lín wǎn

霜叶红于二月花。
shuāng yè hóng yú èr yuè huā

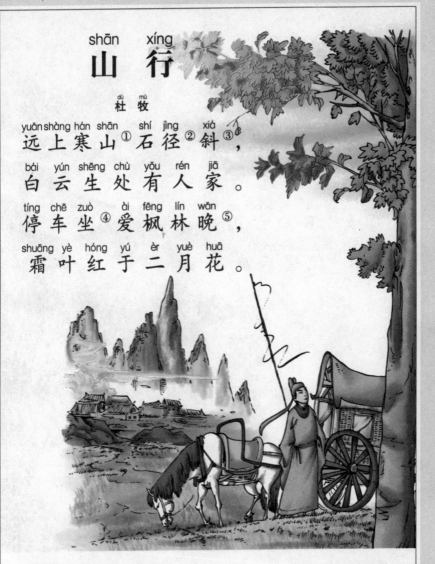

注释 ①寒山：深秋的山。②径：小路。③斜：弯曲。④坐：因为，由于。⑤晚：晚景。

译文 秋天，顺着弯弯曲曲的小石路上山，在山中那云雾缭绕的地方还住着几户人家。停下车来，是因为我喜爱这枫林的晚景，那被霜打过的枫叶比二月里的鲜花还要红。

泊秦淮①
bó qín huái

杜牧
dù mù

烟笼②寒水③月笼沙，
yān lǒng hán shuǐ yuè lǒng shā

夜泊秦淮近酒家。
yè bó qín huái jìn jiǔ jiā

商女④不知亡国恨，
shāng nǚ bù zhī wáng guó hèn

隔江⑤犹唱后庭花⑥。
gé jiāng yóu chàng hòu tíng huā

注释 ①秦淮：即秦淮河。②笼：笼罩。③寒水：秋天水凉，所以称寒水。④商女：卖唱的歌女。⑤江：指秦淮河。⑥后庭花：据说是南朝陈后主所制的乐曲，因陈后主荒淫误国，此曲被认为是亡国之音。

译文 烟雾笼罩着寒水，沙滩上月色朦胧，入夜时，将船停泊在酒家附近的秦淮河边。歌女不知亡国的怨恨和苦难，隔着江还能听到她们所唱的《后庭花》。

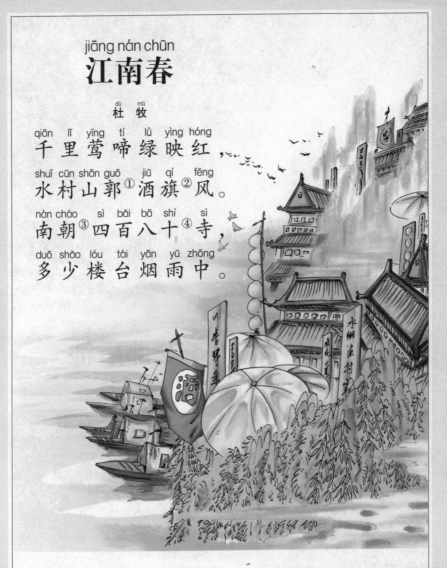

jiāng nán chūn
江南春

dù mù
杜牧

qiān lǐ yīng tí lǜ yìng hóng
千里莺啼绿映红,

shuǐ cūn shān guō jiǔ qí fēng
水村山郭①酒旗②风。

nán cháo sì bǎi bā shí sì
南朝③四百八十④寺,

duō shǎo lóu tái yān yǔ zhōng
多少楼台烟雨中。

注释 ①郭:外城。②酒旗:酒店门前高挂的布招牌。③南朝:历史上在南京建都的宋、齐、梁、陈,合称南朝。④四百八十:形容多。

译文 春天,辽阔的千里江南到处树绿花红,时时听见黄莺的啼鸣,水乡里河边的村庄和山边的小城,随处可见酒家的酒旗飘摇。南朝时修建的许多寺庙和亭台楼阁,如今都笼罩在濛濛的春雨中。

qí ān jùn hòu chí
齐安郡后池

dù mù
杜 牧

líng tòu fú píng lǜ jǐn chí
菱①透浮萍绿锦池，

xià yīng qiān zhuàn nòng qiáng wēi
夏莺千啭②弄蔷薇。

jìn rì wú rén kàn wēi yǔ
尽日③无人看微雨，

yuān yāng xiāng duì yù hóng yī
鸳鸯相对浴红衣。

注释 ①菱：菱叶。②啭：鸟鸣婉转动听。③尽日：整天。

译文 菱叶钻出浮萍，重叠在池面上，像铺上了绿色的锦缎，夏日的蔷薇丛中黄莺在婉转地鸣唱着。整天都没有人欣赏这濛濛细雨，只有成对的鸳鸯在碧水中洗涤着美丽的羽衣。

dēng guàn què lóu
登鹳雀楼①

wáng zhī huàn
王之涣

bái rì yī shān jìn
白 日 依 山 尽②,

huáng hé rù hǎi liú
黄 河 入 海 流。

yù qióng qiān lǐ mù
欲 穷③ 千 里 目,

gèng shàng yì céng lóu
更④ 上 一 层 楼。

注释 ①鹳雀楼：在今山西省永济县。②尽：消失。③穷：用尽，达到极限。④更：再。

译文 红日傍山落下，黄河东流入海。要想看到千里以外的美景，就得再上一层高楼。

liángzhōu cí
凉州词①

wáng zhī huàn
王之涣

huáng hé yuǎn shàng bái yún jiān
黄河远上白云间，

yí piàn gū chéng wàn rèn shān
一片孤城万仞②山。

qiāng dí hé xū yuàn yáng liǔ
羌笛③何须怨杨柳④，

chūn fēng bú dù yù mén guān
春风不度玉门关⑤。

注释 ①凉州词：凉州歌的唱词。②万仞：仞，古代的长度单位；形容极高。③羌笛：古代羌族的一种乐器。④杨柳：指《折杨柳》曲。⑤玉门关：在今甘肃省敦煌市西北。

译文 黄河之水远望与白云相接，一座孤城傍立于万丈高山之间。羌笛吹奏凄婉的《折杨柳》曲，好像是在埋怨春光迟迟不到这荒凉的边陲。啊，这又何必呢，那春风本来就吹不到玉门关呀！

鹿　柴①
lù　zhài

王 维
wáng wéi

空 山 不 见 人 ，
kōng shān bú jiàn rén

但 闻 人 语 响 。
dàn wén rén yǔ xiǎng

返 景② 入 深 林 ，
fǎn jǐng rù shēn lín

复 照 青 苔 上 。
fù zhào qīng tái shàng

注释　①鹿柴：柴，同"寨"，木栅栏；鹿柴，辋川别墅的一部分。②返景：景，同"影"；返景，夕阳返照。

译文　空山不见人影，只听见人说话的声音。夕阳的光芒穿透深林，青苔上映着昏黄的微光。

niǎo míng jiàn

鸟鸣涧

wáng wéi
王 维

rén xián   guì huā luò   yè jìng chūn shān kōng
人闲①桂花落，夜静春山空②。
yuè chū jīng shān niǎo   shí míng chūn jiàn   zhōng
月出惊山鸟，时鸣春涧③中。

注释　①人闲：寂静，无人走动。②空：空旷。③涧：山中水沟。

译文　山里的春夜，万籁俱寂，只有桂花飘落坠地的声音。月亮升起在空中，惊起了栖息在枝头的鸟儿，它们不时在这幽深的山涧中鸣叫。

zhú lǐ guǎn
竹里馆

wáng wéi
王 维

dú zuò yōu huáng ①lǐ
独坐幽篁①里，

tán qín fù cháng xiào
弹琴复长啸。

shēn lín rén bù zhī
深林人不知，

míng yuè lái xiāng zhào
明月来相照。

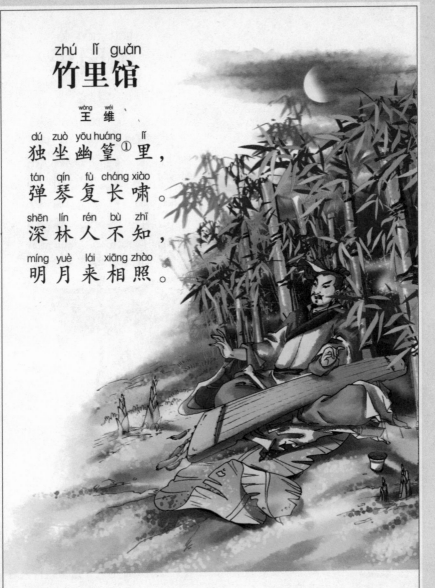

注释　①篁：竹丛。

译文　独自坐在幽静的竹林里，一边弹琴一边仰天长叹。幽深的竹林中没有人知道我在这儿，只有一轮明月相照。

tián yuán lè
田园乐

wáng wéi
王 维

táo hóng fù hán sù yǔ
桃红复含宿雨①，

liǔ lǜ gèng dài zhāo yān
柳绿更带朝烟。

huā luò jiā tóng wèi sǎo
花落家童未扫，

yīng tí shān kè yóu mián
莺啼山客②犹眠③。

注释 ①宿雨：昨夜下的雨。②山客：隐居山庄的人。这里指诗人自己。③犹眠：还在睡觉。

译文 桃花红了，花瓣上还含着昨夜的雨珠。柳树绿了，笼罩在早上的春烟迷雾之中。春雨打落的花瓣洒满庭院，家童还未起床打扫，黄莺啼鸣的声音，没唤醒山客的酣眠。

shānzhōngsòng bié
山中送别

wáng wéi
王维

shān zhōng xiāng sòng bà　　rì mù yǎn chái fēi
山中相送罢①，日暮掩柴扉②

chūn cǎo míng nián lǜ　wáng sūn　guī bù guī
春草明年绿，王孙③归不归？

注释　①罢：完了。②柴扉：柴门。③王孙：本意是贵公子，这里借指送别的友人。

译文　在山中送别了老朋友，到黄昏时才回到家，关上柴门更觉孤独了，等明年春天小草再绿时，不知老朋友能不能回来啊？

相思
xiāng sī

王维
wáng wéi

红豆①生南国，
hóng dòu shēng nán guó

春来发几枝。
chūn lái fā jǐ zhī

愿君多采撷②，
yuàn jūn duō cǎi xié

此物最相思。
cǐ wù zuì xiāng sī

注释 ①红豆：又名相思子，多生在岭南地区，结出的籽像豌豆而稍扁，呈鲜红色。②采撷：采摘。

译文 红豆树生长在岭南，春天长出了繁茂的枝条。愿你多多采摘它作为饰物，这是最相思的东西！

zhōng nán shān
终南山

wáng wéi
王维

tài yǐ jìn tiān dū　lián shān dào hǎi yú
太乙①近天都，连山到海隅。

bái yún huí wàng hé　qīng ǎi rù kàn wú
白云回望合，青霭入看无。

fēn yě zhōng fēng biàn　yīn qíng zhòng hè shū
分野②中峰变，阴晴众壑殊。

yù tóu rén chù sù　gé shuǐ wèn qiáo fū
欲投人处宿，隔水问樵夫。

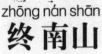

注释　①太乙：即"太一"，指终南山。②分野：古人以天上的星宿配地上的州国。

译文　终南山高耸入云，似乎直插入天接近天上的都城，它绵延万里一直伸向遥远的海边。回头看山下的白云一片，钻进山中的青云若隐若现。中央高峻的主峰把东西分隔，高山低谷迥异，阴晴冷暖多变。我想在山中寻户人家去投宿，就隔岸问那樵夫。

莲花坞①

lián huā wù

王维

wáng wéi

日日采莲去，洲②长多暮归。

rì rì cǎi lián qù　zhōu cháng duō mù guī

弄篙③莫溅水，畏④湿红莲衣。

nòng gāo mò jiàn shuǐ　wèi shī hóng lián yī

注释　①坞：水边停船的地方。②洲：水中的陆地。③篙：撑船的竹竿。④畏：怕。

译文　每日撑船去采莲，路遥很晚才归来。弄篙不要溅水，只怕湿了红衣衫。

送梓州李使君
sòng zǐ zhōu lǐ shǐ jūn

王维

万壑树参天，
wàn hè shù cān tiān

千山响杜鹃。
qiān shān xiǎng dù juān

山中一夜雨，
shān zhōng yí yè yǔ

树杪百重泉。
shù miǎo bǎi chóng quán

汉女输橦布，
hàn nǚ shū tóng bù

巴人讼芋田。
bā rén sòng yù tián

文翁翻教授，
wén wēng fān jiào shòu

不敢倚先贤。
bù gǎn yǐ xiān xián

译文 千沟万壑古树参天，崇山峻岭之间回响着杜鹃鸟的鸣叫声。大山中下了一夜的大雨，树梢上雨水滴落似上百道泉水流淌。汉中女子忙于送橦木叶以用来织布，巴蜀百姓因芋田而起争端。汉景帝时文翁到此翻开教化人民的新篇章，相信你李使君去后也不会只依赖先贤所取得的成就而满足。

山居秋暝①

shān jū qiū míng

王维
wáng wéi

空山新雨后，天气晚来秋。
kōng shān xīn yǔ hòu　tiān qì wǎn lái qiū

明月松间照，清泉石上流。
míng yuè sōng jiān zhào　qīng quán shí shàng liú

竹喧归浣女②，莲动下渔舟。
zhú xuān guī huàn nǚ　lián dòng xià yú zhōu

随意春芳歇③，王孙④自可留。
suí yì chūn fāng xiē　wáng sūn zì kě liú

注释　①暝：夜晚。②浣女：洗衣女子。③歇：散。④王孙：原指贵族子弟，后也泛指隐士，这里指作者自己。

译文　山野间一场喜雨下过后，秋天的傍晚愈加清爽。皎洁的月光在松间洒落，清清的泉水从石上流过。竹林里传出阵阵嬉笑声，原来是洗衣姑娘归来。荷塘里莲花摇动，原来是有渔舟顺流而下。我不在意春色的逝去，只想隐居这里过田园的生活。

芙蓉楼^①送辛渐

fú róng lóu　sòng xīn jiàn

王昌龄
wángchāng líng

hán yǔ lián jiāng　yè rù wú
寒 雨 连 江^② 夜 入 吴^③，

píng míng　sòng kè chǔ shān gū
平 明^④ 送 客 楚 山 孤。

luò yáng qīn yǒu rú xiāng wèn
洛 阳 亲 友 如 相 问，

yí piàn bīng xīn　zài yù hú
一 片 冰 心^⑤ 在 玉 壶。

注释　①芙蓉楼：在今江苏省镇江市西北。②连江：连，满。江，长江。③吴：与下文的"楚"都指镇江一带地方。④平明：早晨。⑤冰心：像冰一样莹洁的心，比喻坚贞纯洁。

译文　夜晚，冰凉的雨丝笼罩着长江，洒入吴地，天地苍茫一片。清晨送别友人远行，楚山孤独耸立在雨中，像我一样寂寞。洛阳的亲友如果问起我，就说我的心像明亮高洁的玉壶里藏着的晶莹透亮的冰心。

出塞^①

chū sài

王昌龄
wángchāng líng

秦时明月汉时关，
qín shí míng yuè hàn shí guān

万里长征人未还。
wàn lǐ chángzhēng rén wèi huán

但使^②龙城飞将^③在，
dàn shǐ lóngchéng fēi jiàng zài

不教胡马^④度阴山^⑤。
bú jiào hú mǎ dù yīn shān

注释 ①出塞：乐府诗的旧题目。②但使：倘若。③龙城飞将：龙城，河北省卢龙县卢龙寨；指汉武帝时的镇关大将李广。④胡马：指敌人的军队。⑤阴山：内蒙古自治区中部的山脉。

译文 明月依旧像秦时一样挂在茫茫的夜空，边关依旧像汉时一样静静地伫立。由于连年战乱，离家万里征战的将士还没有回乡。倘若有像李广那样的将领还在人间，就决不会让胡人的骑兵越过阴山。

cǎi lián qǔ
采莲曲①

wáng chāng líng
王昌龄

hé yè luó qún yí sè cái
荷叶罗裙②一色裁,

fú róng xiàng liǎn liǎng biān kāi
芙蓉③向脸两边开。

luàn rù chí zhōng kàn bú jiàn
乱④入池中看不见,

wén gē shǐ jué yǒu rén lái
闻歌始觉有人来。

注释 ①采莲曲:乐府旧题。②罗裙:用丝绸做的裙子。③芙蓉:盛开的荷花。④乱:混杂不明的样子。

译文 荷花和采莲姑娘的衣裙颜色一样,她们的脸庞和盛开的荷花相互辉映。采莲女进入荷花池中,难以区分人和花,听到歌声才知道她们采莲来了。

花岛
huā dǎo

韩愈
hán yù

蜂蝶①去纷纷，
fēng dié qù fēn fēn

香风②隔岸闻。
xiāng fēng gé àn wén

欲知花岛处，
yù zhī huā dǎo chù

水上觅③红云。
shuǐ shàng mì hóng yún

注释 ①蜂蝶：蜜蜂与蝴蝶。②香风：随风吹来的花香。③觅：寻找。

译文 蜂儿蝶儿纷纷飞向对岸，对岸的芳香远远传来。想知道花岛的所在，只需看水上那片万紫千红的地方。

晚春
韩愈

cǎo shù zhī chūn bù jiǔ guī
草 树 知 春 不 久 归，
bǎi bān hóng zǐ dòu fāng fēi
百 般 红 紫 斗 芳 菲。
yáng huā yú jiá wú cái sī
杨 花 榆 荚 无 才 思，
wéi jiě màn tiān zuò xuě fēi
惟 解 漫 天 作 雪 飞。

译文 花草树木知道春天不久就要归去，于是万紫千红的花朵开得争奇斗艳。杨花榆荚没有超凡的本领，只知道像雪花一样漫天飞舞。

jiāng　xuě
江　雪

liǔ zōngyuán
柳宗元

qiān shān niǎo fēi jué　　wàn jìng rén zōng miè
千 山 鸟 飞 绝，万 径 人 踪①灭。

gū zhōu suō lì wēng　　dú diào hán jiāng xuě
孤 舟 蓑 笠 翁②，独 钓 寒 江 雪。

注释　①踪：足迹。②蓑笠翁：披蓑衣戴斗笠的渔翁。

译文　连绵起伏群山上，连一只飞鸟的影子都看不到，每一条小路上都见不到人的踪迹。江面孤舟上的渔翁披蓑戴笠一个人在冰天雪地里独自江中垂钓。

dēng lè yóu yuán
登乐游原

lǐ shāng yǐn
李商隐

xiàng wǎn yì bú shì
向晚意不适①，

qū chē dēng gǔ yuán
驱车登古原②，

xī yáng wú xiàn hǎo
夕阳无限好，

zhǐ shì jìn huáng hūn
只是近黄昏。

注释 ①意不适：情绪不好。②古原：指乐游原，在陕西西安东南。

译文 傍晚的时候心情不好，就赶着马车去登乐游原。傍晚的太阳是多么美丽，只可惜已经接近日落的黄昏。

zhú zhī cí
竹枝词

刘禹锡
liú yǔ xī

yáng liǔ qīng qīng jiāng shuǐ píng
杨柳青青江水平，

wén láng jiāng shàng chàng gē shēng
闻郎江上唱歌声。

dōng biān rì chū xī biān yǔ
东边日出西边雨，

dào shì wú qíng què yǒu qíng
道是无晴却有晴。

译文 江边的杨柳青翠绿意盎然，江面风平浪静,忽然听到江上传来熟悉的歌声。东边正出着太阳，而西边却是雨丝绵绵，说是没晴(情)的迹象，却还存在晴(情)的迹象。

wàngdòngtíng
望洞庭

刘禹锡

hú guāng qiū yuè liǎng xiāng hè
湖光秋月两相和，

tán miàn wú fēng jìng wèi mó
潭面无风镜未磨①。

yáo wàng dòng tíng shān shuǐ cuì
遥望洞庭山水翠，

bái yín pán lǐ yì qīng luó
白银盘里一青螺②。

注释　①镜未磨：古人用的铜镜，需打磨才光亮，未磨则模糊不清，此处喻湖面。②青螺：喻湖中的君山。

译文　秋夜碧绿的湖水和天上的明月相映生辉，湖面风平浪静，景物隐约可见，就像那未打磨过的镜面。远远望去洞庭湖山清水秀，君山好似白银盘里的一只青螺。

乌衣巷①

wū yī xiàng

刘禹锡
liú yǔ xī

朱雀桥②边野草花，
zhū què qiáo biān yě cǎo huā

乌衣巷口夕阳斜。
wū yī xiàng kǒu xī yáng xié

旧时王谢③堂前燕，
jiù shí wáng xiè táng qián yàn

飞入寻常④百姓家。
fēi rù xún cháng bǎi xìng jiā

注释 ①乌衣巷：今南京市的一条街道，位于秦淮河南岸。②朱雀桥：秦淮河上的桥名，在乌衣巷旁边。③王谢：指东晋的宰相王导、谢安两大家族。④寻常：平常，普通。

译文 朱雀桥边长满了野草杂花，夕阳斜照着乌衣巷。从前筑巢在王谢两大家府前屋檐下的燕子，找不到往日的繁华所在，如今都已飞进普通的百姓家。

qiū cí
秋 词

liú yǔ xī
刘禹锡

zì gǔ féng qiū bēi jì liáo
自古逢①秋悲寂寥，

wǒ yán qiū rì shèng chūn zhāo
我言②秋日胜春朝。

qíng kōng yí hè pái yún shàng
晴空一鹤排云上，

biàn yǐn shī qíng dào bì xiāo
便引诗情到碧霄。

注释 ①逢：遇到。②言：说。

译文 自古以来遇到秋天，人们总觉得寂寞空虚而感到悲伤凄凉，但是我却要说这秋日比那春天还要美好。晴朗的天空上有一只白鹤直飞到云霄之上，把我的诗情也带上了碧蓝的天空。

xiāo xiāng shén
潇湘神

刘禹锡

bān zhú zhī，bān zhú zhī，
斑竹①枝，斑竹枝，

lèi hén diǎn diǎn jì xiāng sī。
泪痕点点寄相思。

chǔ kè yù tīng yáo sè yuàn，
楚客②欲听瑶瑟③怨，

xiāo xiāng shēn yè yuè míng shí。
潇湘④深夜月明时。

注释 ①斑竹：又名湘妃竹。②楚客：湖南湖北一带的旅客，这里是自指。③瑶瑟：镶嵌美玉的瑟。④潇湘：指潇水、湘水。

译文 斑竹枝啊斑竹枝，泪痕点点寄托相思。流落楚地的游子啊，若想聆听幽怨的瑶瑟，请在月明之夜到这潇水湘江。

听弹琴
tīng tán qín

刘长卿
liú chángqīng

líng líng qī xián shàng
泠泠①七弦②上，

jìng tīng sōng fēng hán
静听松风③寒。

gǔ diào suī zì ài
古调④虽自爱，

jīn rén duō bù tán
今人多不弹。

注释 ①泠泠：形容琴声的清越。②七弦：即古琴。③松风：即当时的琴曲《风入松》，这里指琴声。④古调：古曲。

译文 清越悠扬的琴声从七弦琴上发出，静静地听着琴声仿佛有寒风吹入松林之感。这般美妙的古曲虽然自有爱它的世上雅士，可现在的琴师们多已不弹了。

逢雪宿芙蓉山主人①
féng xuě sù fú róngshān zhǔ rén

刘长卿
liú chángqīng

日暮苍山②远，天寒白屋③贫。
rì mù cāngshān yuǎn tiān hán bái wū pín

柴门④闻犬吠⑤，风雪夜归人。
chái mén wén quǎn fèi fēng xuě yè guī rén

注释 ①主人：投宿的人家。②苍山：青山。③白屋：茅草屋。④柴门：用树枝编制的门。⑤犬吠：狗叫。

译文 太阳落山了，天渐渐地黑了，青山显得更加遥远。寒冷的天气里，那茅草屋显得主人家境更加破旧萧条。听到柴门外传来一阵狗叫，才知道风雪交加的夜里，有人从外面回来了。

秋日登吴公台①
上寺远眺

刘长卿

古台摇落后，
秋入望乡心。
野寺来人少，
云峰隔水深。
夕阳依旧垒，
寒磬满空林。
惆怅南朝事，
长江独自今

注释 ①吴公台：在今江苏省江都市，是南朝时的建筑。

译文 　在秋风摇落的季节我登上了古台，秋天的景色勾起了我怀乡的心情。荒野的古寺里来往的人少，山重水隔阻断了路程。夕阳从这旧垒前依依离去，山寺的磬声响彻空林。南朝旧事令人惆怅，唯有这长江从古奔腾到今。

寻南溪常道士

刘长卿

一路经行处①，莓苔见屐痕。

白云依静渚②，芳草闭闲门。

过雨看松色，随山到水源。

溪花与禅意，相对亦忘言③。

注释 ①经行处：经过的地方。②渚：水中的小洲。③忘言：忘记要说的话。

译文 为寻道人我一路向山间走去，苍苔中留下我的鞋印。白云在宁静的江边渚头缭绕，芳草茂盛遮蔽了闲门。一场山雨过后欣赏山中松柏的翠色，沿着山势寻觅山泉的水源。享受着这溪中的花影和宁静的禅意，我面对你时竟忘记了要说什么。

春怨
chūn yuàn

金昌绪
jīn chāng xù

dǎ qǐ huáng yīng ér
打起①黄莺儿，

mò jiào zhī shàng tí
莫教枝上啼②。

tí shí jīng qiè mèng
啼时惊妾③梦，

bù dé dào liáo xī
不得到辽西④。

注释 ①打起：打跑，赶走。②啼：叫。③妾：闺中妇人自称。④辽西：辽河以西。

译文 打走你这只黄莺，不让你在树枝上啼叫。因为你的鸣啼会吵醒我的好梦，使我无法在梦中见到我那正在辽西征战的丈夫。

江村即事
司空曙

钓罢归来不系①船，江村月落正堪②眠。
纵然③一夜风吹去，只在芦花浅水边。

注释 ①系：捆拴后打结。②堪：可以，能够。③纵然：即使。

译文 夜里钓鱼回来也不用系船，江边村上的月亮已落了下去，正好是睡觉的时候。即使晚上起风把小船刮走，也不过吹到长满芦花的江边浅水的地方。

钓鱼湾
diào yú wān

储光羲
chǔ guāng xī

垂钓绿湾春，春深杏花乱①。
chuí diào lǜ wān chūn，chūn shēn xìng huā luàn

潭清疑水浅，荷动知鱼散②。
tán qīng yí shuǐ qiǎn，hé dòng zhī yú sàn

日暮待③情人，维④舟绿杨岸。
rì mù dài qíng rén，wéi zhōu lǜ yáng àn

注释 ①乱：纷纷飘落。②散：游动。③待：等待。④维：拴。

译文 我在春光翠绿的河湾里垂钓，春意正浓，杏花纷纷落瓣。潭水清澈使我以为水很浅，荷叶摇动我才知道鱼儿受惊游散。我在夕阳下等待情人的到来，将小船拴在河岸的杨树上。

wǔ suì yín huā
五岁吟花

chén zhī xuán
陈知玄

huā kāi mǎn shù hóng
花开满树红,

huā luò wàn zhī kōng
花落万枝空。

wéi yú yì duǒ zài
惟①余②一朵在,

míng rì dìng suí fēng
明日定随风。

注释 ①惟:只。②余:剩下。

译文 花儿开了,满树一片通红,花儿落了,所有的树枝都变得空空荡荡。只剩下那一朵花儿还开在树上,明天也一定会随风飘落的。

fēng
风

李峤 qiáo

解落三秋①叶，
jiě luò sān qiū yè

能开二月②花。
néng kāi èr yuè huā

过江千尺浪，
guò jiāng qiān chǐ làng

入竹万竿斜。
rù zhú wàn gān xié

注释　①三秋：秋季。②二月：农历二月，指春季。

译文　风能吹落秋天的树叶，能吹开春天的鲜花，吹过江河时能掀起滚滚波浪，吹进竹林时能把万竿翠竹吹得摇曳倾斜。

中秋夜
zhōng qiū yè

李峤
lǐ qiáo

圆魄①上寒空②，
yuán pò shàng hán kōng

皆言四海同。
jiē yán sì hǎi tóng

安③知千里外，
ān zhī qiān lǐ wài

不有雨兼风？
bù yǒu yǔ jiān fēng

注释 ①圆魄：魄，月亮；中秋的圆月。②寒空：寒冷的夜空。③安：哪里。

译文 中秋的圆月高悬在寒冷的夜空，人们都说此时的月光到处相同。可是他们哪里知道，在那千里之外就不会有骤雨疾风？

sòng xiōng
送 兄

七岁女①

别路云初起，
离亭②叶正稀。
所嗟③人异雁，
不作一行飞

注释 ①七岁女：姓名不详，写此诗时年仅七岁。②离亭：送别处的路亭。③嗟：叹息。

译文 与哥哥分别的路上，天上的乌云刚刚升起，送别的路亭边，树叶开始凋零。可是人和大雁不同，不能一起飞向远方，我和哥哥只好分离了。

xiāngjiāng qǔ
湘江曲

zhāng jí
张 籍

xiāng shuǐ wú cháo qiū shuǐ kuò
湘水无潮①秋水阔,

xiāngzhōng yuè luò xíng rén fā
湘中月落行人发②。

sòng rén fā sòng rén guī
送人发,送人归,

bái píng mángmáng zhè gū fēi
白蘋③茫茫鹧鸪④飞。

注释 ①潮:指波涛。②发:出发。③白蘋:一种水生植物。④鹧鸪:鸟名,叫声如"行不得也哥哥",听之悲切。

译文 秋天的湘水风平浪静,江面宽广无际,江上月落时候出外的人乘船出发。送人出外,我还得返回,面对茫茫的白蘋和飞起的鹧鸪,感到无比惆怅。

chéng dū qǔ
成都曲

zhāng jí
张籍

jǐn jiāng jìn xī yān shuǐ lù
锦江①近西烟水绿，

xīn yǔ shān tóu lì zhī shú
新雨山头荔枝熟。

wàn lǐ qiáo biān duō jiǔ jiā
万里桥②边多酒家，

yóu rén ài xiàng shuí jiā sù
游人爱向谁家宿？

注释 ①锦江：流经成都的一条江。②万里桥：位于成都城南。

译文 锦江西面烟笼雾罩，碧水清清，刚落过一场雨，山冈上的荔枝已经成熟。万里桥边酒楼客栈鳞次栉比，游人喜欢投宿到哪一家呢？

tí xī shī shí
题西施石①

wáng xuān
王 轩

líng shàng qiān fēng xiù
岭 上 千 峰 秀，

jiāng biān xì cǎo chūn
江 边 细 草 春。

jīn féng huàn shā shí
今 逢 浣② 纱 石，

bú jiàn huàn shā rén
不 见 浣 纱 人。

注释 ①西施石：又名浣纱石，相传春秋时期美女西施在此石上浣纱。②浣：洗。

译文 山岭上座座高峰争秀，江边细草到春天更加繁茂。今日只见当年西施浣纱的石头，却看不到浣纱女西施！

gē shū gē
哥舒歌

xī bǐ rén
西鄙人

běi dǒu qī xīng gāo
北斗七星高,

gē shū yè dài dāo
哥舒夜带刀。

zhì jīn kuī mù mǎ
至今窥①牧马,

bù gǎn guò lín táo
不敢过临洮②。

注释 ①窥:窥伺。②临洮:今甘肃省泯县,秦筑长城西起于此。

译文 黑夜里北斗七星高高挂在天上,哥舒翰夜里带着宝刀,勇猛地守卫在边防线上。吐蕃族牧马人只能在那里伺机远望,他们再不敢南来,越过临洮了。

题破山寺①后禅院

常建

清晨入古寺，初日照高林。

曲径通幽处，禅房花木深。

山光悦鸟性②，潭影空人心③。

万籁④此俱寂，惟⑤闻钟磬⑥音。

注释 ①破山寺：即兴福寺，今江苏省常熟市北。②悦鸟性：使鸟儿更加欢悦。③空人心：使人忘却一切烦恼。④万籁：天地间的各种声音。⑤惟：同"唯"。⑥磬：和尚念经时敲的一种乐器。

译文 清晨走进古老的禅寺，初升的太阳映照着高高的树林。竹林间曲折山道通向幽静的处所，禅房掩映在繁茂的花丛中。山光秀丽使得群鸟怡然自得，潭水碧影令人的心空灵。万物皆寂静无声，只听到寺院钟磬的声音回荡在山林。

题都城南庄
tí dū chéng nán zhuāng

崔护
cuī hù

去年今日此门中，
qù nián jīn rì cǐ mén zhōng

人面①桃花相映红。
rén miàn táo huā xiāng yìng hóng

人面不知何处去，
rén miàn bù zhī hé chù qù

桃花依旧笑②春风
táo huā yī jiù xiào chūn fēng

注释 ①人面：指诗中所写女子的面容。②笑：形容桃花盛开。

译文 去年的今天在这里见到一位美丽的姑娘，她的面容和盛开的桃花相互辉映，显得格外姣美。今日旧地重游，那位姑娘不知去了哪里，只有桃花迎着春风依旧盛开。

xiǎo ér chuí diào
小儿垂钓

hú lìng néng
胡令能

péng tóu zhì   zǐ xué chuí lún
蓬头稚①子学垂纶②，

cè zuò méi tái cǎo yìng shēn
侧坐莓③苔④草映身。

lù rén jiè wèn yáo zhāo shǒu
路人借问⑤遥招手，

pà de yú jīng bú yìng rén
怕得鱼惊不应人。

注释　①稚：幼小。②垂纶：纶，钓鱼用的线；钓鱼。③莓：一种小草。④苔：苔藓。⑤借问：打听。

译文　一个头发蓬乱的小孩正在河边学钓鱼，侧坐在莓苔上野草遮挡他的身体。有过路的人向他问路，他远远地招手，他怕惊动鱼儿不肯回答。

滁州西涧
chú zhōu xī jiàn

韦应物
wéi yìng wù

独怜①幽草涧边生，
dú lián yōu cǎo jiàn biān shēng

上有黄鹂②深树③鸣。
shàng yǒu huáng lí shēn shù míng

春潮带雨晚来急④，
chūn cháo dài yǔ wǎn lái jí

野⑤渡⑥无人舟自横。
yě dù wú rén zhōu zì héng

注释 ①怜：爱怜。②黄鹂：黄莺。③深树：树丛深处。④急：快、猛。⑤野：荒僻。⑥渡：渡口。

译文 我喜爱涧边静静的芳草，芳草生长在涧边；黄鹂在密林深处，欢快地歌唱。春潮夹带着阵阵晚来的急雨；荒僻的渡口，没有人的小船随波横在水面上。

xún yǐn zhě bú yù
寻隐者不遇

jiǎ dǎo
贾岛

sōng xià wèn tóng zǐ
松下问童子，

yán shī cǎi yào qù
言①师采药去。

zhǐ zài cǐ shān zhōng
只在此山中，

yún shēn bù zhī chù
云深不知处。

注释 ①言：说。

译文 我来到松树下询问小童，他回答说师父上山采药去了。只知道他就在这座山中，可是云深雾迷不知他在什么地方。

mǐn nóng
悯农(其一)
李绅 lǐ shēn

chú hé rì dāng wǔ
锄禾日当午①,

hàn dī hé xià tǔ
汗滴禾下土。

shuí zhī pán zhōng cān
谁知盘中餐②,

lì lì jiē xīn kǔ
粒粒皆③辛苦。

注释 ①日当午:正中午。②餐:饭。③皆:都。

译文 农民们在地里给禾苗锄草松土,到了烈日炎炎的中午,那滚滚汗珠像雨水一样滴进禾苗下的泥土里。可有谁知道人们盘中的饭食,每一粒都凝结着农民们的辛苦劳动啊!

zhōng nán　　wàng yú xuě

终南^①望余雪

zǔ　yǒng
祖咏

zhōng nán yīn lǐng　xiù
终南阴岭^②秀，

jī　xuě　fú　yún duān
积雪浮云端。

lín biǎo　míng jì　sè
林表^③明霁色^④，

chéng zhōng zēng mù hán
城中增暮寒。

注释　①终南：山名，在今陕西省西安市南面。②阴岭：山的北面。③林表：林梢。④霁色：雨雪停后出现的阳光。

译文　遥看终南山北面的风景秀丽，峰顶的积雪像是浮在云端一样。树梢上闪烁着雪后初晴夕阳的余晖，长安城的傍晚更增添了深冬的清寒。

送杜少府之任蜀州
sòng dù shào fǔ zhī rèn shǔ zhōu

王勃
wáng bó

chéng què fǔ sān qín　　fēng yān wàng wǔ jīn
城 阙 辅 三 秦 ，风 烟 望 五 津 。

yǔ jūn lí bié yì　　tóng shì huàn yóu rén
与 君 离 别 意 ，同 是 宦 游 人 。

hǎi nèi cún zhī jǐ　　tiān yá ruò bǐ lín
海 内 存 知 己 ，天 涯 若 比 邻 。

wú wéi zài qí lù　　ér nǚ gòng zhān jīn
无 为 在 歧 路 ，儿 女 共 沾 巾 。

译文 古三秦之地拱护着长安城，透过迷蒙的风烟遥望五个渡口。道别时我与你离别的心情同样悲伤，因为你我都是远离故乡在外求官的人。四海之内有你这位知心朋友，即便远在天涯也好像近邻一般。我们可不要在分手的时候，像多情的男女那样泪落沾湿衣裳。

山中
shān zhōng

王勃

长江悲①已滞②，
万里念将归。
况属高风③晚，
山山黄叶飞。

注释 ①悲：感叹。②已滞：已，太；滞留太久。③高风：秋高气爽的风。

译文 望着滚滚奔流的长江，可叹我长年滞留在外乡；我日夜思念盼望着要归去的万里之遥的故乡。更何况，正值这深秋季节，一阵阵凉风袭来，那山中黄叶纷飞，一片萧索景象，更是勾起我的思归之情。

逢入京使
féng rù jīng shǐ

岑参
cén shēn

故园①东望路漫漫，
gù yuán dōng wàng lù màn màn

双袖龙钟②泪不干。
shuāng xiù lóng zhōng lèi bù gān

马上相逢无纸笔，
mǎ shàng xiāng féng wú zhǐ bǐ

凭③君传语报平安。
píng jūn chuán yǔ bào píng ān

注释 ①故园:家乡,这里指长安。②龙钟:这里是沾湿的意思。③凭:托。

译文 在远赴西域途中回头向东远望长安的家园,路途遥远,不觉泪流,满面沾湿,双袖擦也擦不干。骑着马与你在途中相遇,想让你捎封家书回去,却无纸笔,只有托你捎个口信,回去向家人报个平安。

lán xī zhào gē
兰溪①棹歌②

dài shū lún
戴叔伦

liáng yuè rú méi guà liǔ wān
凉月如眉挂柳湾，

yuè zhōng shān sè jìng zhōng kàn
越中③山色镜中看。

lán xī sān rì táo huā yǔ
兰溪三日桃花雨④，

bàn yè lǐ yú lái shàng tān
半夜鲤鱼来上滩。

注释 ①兰溪：水名，在今浙江省兰溪市西南。②棹歌：船歌。③越中：今浙江省中部。④桃花雨：桃花开时下的雨，指春雨。

译文 清冷的月亮像弯弯的眉毛，斜挂在河湾的柳树梢上，幽雅的兰溪山色在波平如镜的水面上倒映出来。桃花盛开的时候，兰溪一连三天春雨绵绵，溪水猛涨，半夜里活蹦乱跳的鲤鱼竟调皮地跃上了溪水浅滩。

tí sān lú dà fū miào
题三闾大夫^①庙

dài shū lún
戴叔伦

yuán xiāng liú bú jìn
沅湘^②流不尽，

qū zǐ yuàn hé shēn
屈子^③怨何^④深！

rì mù qiū fēng qǐ
日暮秋风起，

xiāo xiāo fēng shù lín
萧萧^⑤枫树林。

注释 ①三闾大夫：指屈原，他曾任过楚国的三闾大夫。②沅湘：沅水和湘江。③屈子：屈原。④何：多么。⑤萧萧：风吹动树叶发出的声音。

译文 沅水与湘水，奔流不息；屈原的哀怨是多么的深重！傍晚，秋风劲吹起，吹得枫林萧萧悲鸣。

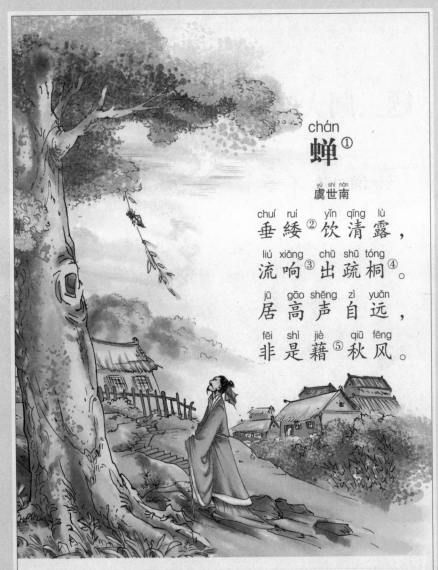

chán
蝉①

yú shì nán
虞世南

chuí ruí　　yǐn qīng lù
垂緌②饮清露，

liú xiǎng　chū shū tóng
流响③出疏桐④。

jū　gāo shēng zì yuǎn
居高声自远，

fēi shì jiè　qiū fēng
非是藉⑤秋风。

注释　①蝉：一种昆虫，又叫知了。雄的可以发出尖锐的声音。②垂緌：本指下垂的帽带，这里指蝉低着头。③流响：传出声响。④疏桐：高大的梧桐。⑤藉：凭借。

译文　知了低着头饮着清凉的露水，高大的梧桐树上传出了它响亮的叫声。正因为它自居高处，所以声音才传得很远，并不是借助秋风吹送的。

wàng yuè huái yuǎn
望月怀远①

zhāng jiǔ líng
张九龄

hǎi shàng shēng míng yuè
海 上 生 明 月，

tiān yá gòng cǐ shí
天 涯② 共 此 时。

qíng rén yuàn yáo yè
情 人 怨 遥 夜③，

jìng xī qǐ xiāng sī
竟 夕④ 起 相 思。

注释 ①怀远：怀念远方亲人。②天涯：天边，远方。③遥夜：漫漫长夜。④竟夕：通宵。

译文 海上升起一轮明月，此时此刻，照着我也照着远方的亲人。天各一方的情人怨恨月夜的漫长，彻夜难眠，相互苦苦思念。

mù tóng cí
牧童词

李涉

zhāo mù niú   mù niú   xià jiāng qū
朝牧牛，牧牛下江曲①，

yè mù niú   mù niú dù cūn gǔ
夜牧牛，牧牛度村谷。

hé suō   chū lín chūn yǔ xì   lú guǎn   wò chuī suō cǎo   lǜ
荷蓑②出林春雨细，芦管③卧吹莎草④绿。

luàn chā péng hāo   jiàn mǎn yāo   bú pà měng hǔ qī huáng dú
乱插蓬蒿⑤箭满腰，不怕猛虎欺黄犊⑥。

注释　①江曲：江湾。②荷蓑：披着蓑衣。③芦管：用芦苇秆制成的哨子。④莎草：多年生草本植物。⑤蓬蒿：植物名，茎细长。⑥黄犊：黄色的牛犊。

译文　牧童清晨放牛，来到江湾；傍晚放牛，去村边的山谷。他们披着蓑衣，冒着春雨，在林中出没，有时也在沙滩的绿草上吹芦管。腰上插着蓬蒿当作箭，他们认为这样就不怕猛虎来欺负黄牛犊了。

早梅 zǎo méi

张谓 zhāng wèi

一树寒梅白玉条，
yí shù hán méi bái yù tiáo

迥①临村路傍溪桥。
jiǒng lín cūn lù bàng xī qiáo

不知近水花先发，
bù zhī jìn shuǐ huā xiān fā

疑是经冬雪未销②。
yí shì jīng dōng xuě wèi xiāo

注释 ①迥：远。②销：融化。

译文 一棵梅花树凌寒独开，洁白如玉，它远离人来人往的村路，临近溪水桥边。不知靠近溪水而使梅花早开，还怀疑是枝上的白雪经过冬天还未融化。

华子冈
huá zǐ gāng

裴 迪
péi dí

落日松风起，
luò rì sōng fēng qǐ

还家草露晞①，
huán jiā cǎo lù xī

云光侵履迹②，
yún guāng qīn lǚ jì

山翠③拂人衣。
shān cuì fú rén yī

注释 ①晞：干燥。②履迹：脚印。③山翠：山上苍翠的树木。

译文 夕阳西下，松林间夜风刮起，归途中看见草上的露珠已经吹干。夜里的月光映照着行人的足迹，青翠的树木轻拂着行人的衣衫。

塞下曲(其二)
sài xià qǔ
qí èr

卢纶
lú lún

林暗草惊风①，
lín àn cǎo jīng fēng

将军夜引弓。
jiāng jūn yè yǐn gōng

平明寻白羽，
píng míng xún bái yǔ

没在石棱中。
mò zài shí léng zhōng

注释　①草惊风：风吹草丛，以为有猛兽潜伏。

译文　夜里林深草密，忽然刮来一阵疾风。是猛虎吧？将军从容不迫搭箭引弓。天明搜猎时，竟发现整个箭头已深深地嵌入一块石头中。

sù shí yì shānzhōng
宿石邑山中

韩翃
hán hóng

fú yún bú gòng cǐ shān qí
浮云不共此山齐，

shān ǎi cāng cāng wàngzhuǎn mí
山霭苍苍望转迷。

xiǎo yuè zàn fēi gāo shù lǐ
晓①月暂飞高树里，

qiū hé gé zài shù fēng xī
秋河②隔在数峰西。

注释 ①晓：清晨。②秋河：指银河。

译文 飘浮的白云也不敢和这座山比个高低，山间游荡着苍茫的雾气显得越发迷离。拂晓的明月在高大的树丛间穿行，闪烁的银河渐渐向座座山峰以西沉落。

桃花溪①

tāo huā xī

zhāng xù
张 旭

yǐn yǐn fēi qiáo gé yě yān
隐隐飞桥隔野烟，

shí jī　 xī pàn wèn yú chuán
石矶②西畔问渔船。

táo huā jìn rì　 suí liú shuǐ
桃花尽日③随流水，

dòng zài qīng xī hé chù biān
洞在清溪何处边？

注释　①桃花溪：在湖南省桃源县西南。②石矶：水边突出的大石头。③尽日：每日。

译文　隔着淡淡的云雾远眺桃花溪，云烟萦绕，溪上小桥，隐约可见。我在石矶西边，问渔夫：桃花每天都随这清澈的溪水漂出来吗？那桃花源的洞口又在哪一边呢？

送梁六自洞庭山^①

sòng liáng liù zì dòng tíng shān

张 说
zhāng yuè

巴陵^②一望洞庭秋，
bā líng yí wàng dòng tíng qiū

日见孤峰水上浮。
rì jiàn gū fēng shuǐ shàng fú

闻道神仙不可接，
wén dào shén xiān bù kě jiē

心随湖水共悠悠^③。
xīn suí hú shuǐ gòng yōu yōu

注释 ①洞庭山：即洞庭湖中的君山。②巴陵：在现在的湖南岳阳，距洞庭山很近。③悠悠：长久。

译文 从巴陵远望洞庭湖的秋色，每天都能看见孤零零的君山在水上飘浮着。此地一别恐怕像和传说中的神仙相逢一样难，心潮随着广远无际的湖水悠悠不息。

从军行

cóng jūn xíng

杨 炯
yáng jiǒng

fēng huǒ zhào xī jīng　　xīn zhōng zì bù píng
烽火照西京①，心中自不平。

yá zhāng　cí fèng què　tiě jì rào lóng chéng
牙璋②辞凤阙③，铁骑绕龙城。

xuě àn diāo qí huà　fēng duō zá gǔ shēng
雪暗凋旗画，风多杂鼓声。

nìng wéi bǎi fū zhǎng　shèng zuò yì shū shēng
宁为百夫长，胜作一书生。

注释 ①西京：长安。②牙璋：皇帝调兵的凭证。③凤阙：皇宫。

译文 烽火映照着都城长安，我的心中难以平静。出征的号令从皇宫传出，精锐的骑兵包围了敌人的都城。纷扬的大雪使彩旗黯淡，呼啸的寒风夹杂着战鼓声声。我宁愿做军中一个小小的百夫长，也胜过做一个舞文弄墨的书生。

阙题

刘眘虚（liú shèn xū）

道①由白云尽，春②与清溪长。

时有落花至，远随流水香。

闲门向山路，深柳读书堂。

幽映每白日，清辉照衣裳。

注释 ①道：山路。②春：春光。

译文 山道消失在缥缈的白云间，春光就如同清澈的溪流一样绵长。偶尔有花儿飘落，芳香随流水一道飘向远方。寂静的门扉面对山路，深深的柳荫遮掩着我的读书堂。每当阳光透过幽深的丛林，清辉便洒满我的衣裳。

tí jīn líng dù
题金陵渡^①

zhāng hù
张祜

jīn líng jīn dù xiǎo shān lóu
金 陵 津^② 渡 小 山 楼,

yì xiǔ xíng rén zì kě chóu
一 宿 行 人^③ 自 可^④ 愁。

cháo luò yè jiāng xié yuè lǐ
潮 落 夜 江 斜 月 里,

liǎng sān xīng huǒ shì guā zhōu
两 三 星 火 是 瓜 洲^⑤?

注释 ①金陵渡:在今江苏省镇江附近。②津:渡口。③行人:这里指作者自己。④可:应当。⑤瓜洲:在长江北岸的扬州之阳,与镇江隔长江相对。

译文 金陵渡口有一座小小的山楼,我在这借一宿,晚上不禁为漂泊生活而满怀忧愁。江潮退落于夜间西沉的月色里,远处那点点星火闪烁的地方可是瓜洲?

晓日 xiǎo rì

韩偓 hán wò

天际霞光入水中，
tiān jì xiá guāng rù shuǐ zhōng

水中天际一时红。
shuǐ zhōng tiān jì yì shí hóng

直须①日观②三更后，
zhí xū rì guān sān gēng hòu

首次金乌③上碧空。
shǒu cì jīn wū shàng bì kōng

注释 ①直须：只要。②日观：日观峰，位于泰山之上。③金乌：传说太阳中有三足乌鸦，诗中指太阳。

译文 天边的霞光映入水中，天水相连一片艳红。只要在日观峰上等到三更天后，就可以目送着太阳升上碧蓝的天空。

tí jú huā
题菊花

huáng cháo
黄巢

sà sà xī fēng mǎn yuàn zāi　　ruǐ hán xiāng lěng dié nán lái
飒飒西风满院栽，蕊①寒香冷蝶难来。

tā nián wǒ ruò wéi qīng dì　　bào yǔ táo huā yí chù kāi
他年我若为青帝②，报与桃花一处开。

注释　①蕊：花心。②青帝：春神。

译文　秋风飒飒、百花凋零的秋天，满院的菊花却迎着风霜傲然开放，但花蕊似乎因带着寒意而香气黯然，连蝴蝶也感觉寒冷难得飞来。哪一年我如果要是做了春神，我会让菊花、桃花一同开放。

送朱大入秦

sòng zhū dà rù qín

孟浩然

游人五陵去，
yóu rén wǔ líng qù

宝剑值千金。
bǎo jiàn zhí qiān jīn

分手脱相赠，
fēn shǒu tuō xiāng zèng

平生一片心。
píng shēng yí piàn xīn

译文 朱大要到长安去了，我佩带价值千金的宝剑来送行。分手的时候，我解下宝剑赠送给朱大，这剑寄托着我的祝福。宝剑价值再高，也比不上我对朋友的深情厚谊。

望洞庭赠张丞相

wàng dòng tíng zèng zhāng chéng xiàng

孟浩然

八月湖水平，涵虚①混太清②。
bā yuè hú shuǐ píng hán xū hùn tài qīng

气蒸云梦泽，波撼岳阳城。
qì zhēng yún mèng zé bō hàn yuè yáng chéng

欲济③无舟楫，端居④耻圣明。
yù jì wú zhōu jí duān jū chǐ shèng míng

坐观垂钓者，徒有羡鱼情。
zuò guān chuí diào zhě tú yǒu xiàn yú qíng

注释 ①涵虚：包含天空。②太清：太空。③济：渡。④端居：安居。

译文 八月的洞庭湖水与两岸齐平，烟波浩渺连着苍穹。云梦二泽水汽蒸腾，波涛浩瀚震动岳阳。想渡过湖去找不到船与桨，闲居在家有负朝廷恩德。赶到了盛世我还闲坐看人垂钓，空有羡慕之情。

洛中访袁拾遗①不遇

luò zhōng fǎng yuán shí yí bú yù

mèng hào rán
孟浩然

luò yáng fǎng cái zǐ　　jiāng lǐng zuò liú rén
洛阳访才子②，江岭作流人③。

wén shuō méi huā zǎo　hé rú běi dì chūn
闻说梅花早，何如北地春。

注释　①袁拾遗：作者友人。②才子：有文才的人，这里指袁拾遗。③流人：因有罪被流放岭外的人。

译文　我来到洛阳拜访袁才子，谁知他已被贬官流放岭南。听说岭南梅花开得早，那番情景能不能比上北方的春天呢?

登幽州①台歌

dēng yōu zhōu tái gē

chén zǐ áng
陈子昂

qián bú jiàn gǔ rén
前不见古人，

hòu bú jiàn lái zhě
后不见来者。

niàn tiān dì zhī yōu yōu
念天地之悠悠②，

dú chuàng rán ér tì xià
独怆然③而涕下。

注释　①幽州：古十二州之一，现在的北京市。②悠悠：邈远的样子。③怆然：悲伤凄凉。

译文　追溯往前，我不见先代的圣君，往后看，等不到后代的明主。想到宇宙无限渺远，我生不逢时，深感人生短暂。独自凭吊，忍不住泪流满面。

夜宿山寺 (yè sù shān sì)

李白

危楼①高百尺，(wēi lóu gāo bǎi chǐ)

手可摘星辰②。(shǒu kě zhāi xīng chén)

不敢高声语③，(bù gǎn gāo shēng yǔ)

恐惊天上人。(kǒng jīng tiān shàng rén)

注释 ①危楼：危，高；指建筑在山顶上的寺庙。②星辰：日、月、星的总称。③语：说话。

译文 耸立在山上的寺庙有百尺高，人站在上面仿佛就可以用手摘下星星和月亮。我不敢在这儿大声说话，恐怕惊动了天上的仙人。

黄鹤楼送孟浩然之①广陵② (huáng hè lóu sòng mèng hào rán zhī guǎng líng)

李白

故人西辞黄鹤楼，(gù rén xī cí huáng hè lóu)

烟花③三月下扬州。(yān huā sān yuè xià yáng zhōu)

孤帆远影碧空尽，(gū fān yuǎn yǐng bì kōng jìn)

惟见长江天际流。(wéi jiàn cháng jiāng tiān jì liú)

注释 ①之：往，到。②广陵：扬州的古称。③烟花：花柳迷人的景色。

译文 老朋友告别武昌的黄鹤楼，在杨柳如烟、繁花似锦的阳春三月，顺流东下去扬州。我看着朋友乘坐的船渐渐远去消失在碧空尽头，眼前只有滚滚的长江不断地向东奔流。

估客①行

李白

海客②乘天风，

将船远行役。

譬如③云中鸟，

一去无踪迹。

注释 ①估客:商人。②海客:出海经商的人。③譬如:好像。

译文 商人随风漂流,驾船出外经商。就像云中的飞鸟,一去就再也找不到行踪。

子夜吴歌

李白

长安一片月,万户捣衣①声。

秋风吹不尽,总是玉关②情。

何日平胡虏,良人罢远征。

注释 ①捣衣:将洗过的衣服放在砧石上,用木杵去捶打,此指人们准备寒衣。②玉关:即玉门关。

译文 长安城里到处是月色溶溶,千家万户都传来捣衣的声声。这捣衣的声响任凭秋风吹也吹不尽,声声都饱含着牵系玉门关的深情。何时才能荡平胡虏,让亲人从此不再到边关远征?

白鹭鸶

李 白

白鹭下秋水，

孤①飞如坠②霜，

心闲且③未去，

独立沙洲④旁。

注释 ①孤：孤单。②坠：降落。③且：暂时的意思。④沙洲：沙滩。

译文 有一只鹭鸶孤单地展开它那白色的羽翼缓缓地降落在秋水边，就好像天空中飘下的白雪一般。看它的样子非常悠闲，独自静静地站在沙洲边眺望，一点也没有要离开的意思。

秋浦歌

李 白

白发三千丈，

缘愁似个长。

不知明镜里，

何处得秋霜。

译文 满头白发好像有三千丈之长，只因我的忧愁也这么长。不知道明亮的镜子里，这像秋霜一样的白发是从哪里得来的。

哭宣城善酿纪叟 李白

kū xuānchéngshànniàng jì sǒu

纪叟黄泉里，
jì sǒu huángquán lǐ

还应酿老春。
hái yīng niàng lǎo chūn

夜台无李白，
yè tái wú lǐ bái

沽酒与何人？
gū jiǔ yǔ hé rén

译文 纪叟死后，在黄泉之下，大概还要酿造老春美酒吧。可惜坟墓之中并没有李白其人，你的美酒能卖与何人呢？

越女词五首(其三) 李白

yuè nǚ cí wǔ shǒu

耶溪采莲女，
yē xī cǎi lián nǚ

见客棹歌回。
jiàn kè zhào gē huí

笑入荷花去，
xiào rù hé huā qù

佯羞不出来。
yáng xiū bù chū lái

译文 耶溪的采莲姑娘哟，一见到陌生的客人，就掉转船头，唱着歌，嬉笑着躲进荷花丛中去，装着害羞再也不肯出来。

客中行 kè zhōng xíng

李白 lǐ bái

兰陵①美酒郁金香②，
lán líng měi jiǔ yù jīn xiāng

玉碗盛来琥珀③光。
yù wǎn chéng lái hǔ pò guāng

但使主人能醉客，
dàn shǐ zhǔ rén néng zuì kè

不知何处是他乡。
bù zhī hé chù shì tā xiāng

注释 ①兰陵：在今山东枣庄。②郁金香：一种香草。③琥珀：一种树脂化石，呈黄色或赤褐色，色泽晶莹，这里形容美酒色泽如琥珀。

译文 兰陵的美酒散发出醇浓的郁金香味，用晶莹的玉碗盛来的美酒闪烁着琥珀般的光彩。主人殷勤劝酒，客人尽情欢醉，不知不觉忘记自己是身在异乡。

观放白鹰二首（其一） guān fàng bái yīng èr shǒu (qí yī)

李白 lǐ bái

八月边风高，
bā yuè biān fēng gāo

胡鹰白锦毛。
hú yīng bái jǐn máo

孤飞一片雪，
gū fēi yí piàn xuě

百里风秋毫。
bǎi lǐ fēng qiū háo

译文 正是八月中秋之季，边疆地区的风已越来越令人感到它的强劲，胡鹰长着一身漂亮的白色锦毛惹人喜爱。一只白鹰自由地飞翔在空中，犹如一片白色的雪花在风中漫舞，然而白鹰的眼睛却锐利无比，即使在空中也能发现地下极小的物体。

春思 _{chūn sī}
李白 _{lǐ bái}

燕草如碧丝，秦桑低绿枝。
yān cǎo rú bì sī，qín sāng dī lǜ zhī

当君怀归日，是妾断肠时。
dāng jūn huái guī rì，shì qiè duàncháng shí

春风不相识，何事入罗帏？
chūn fēng bù xiāng shí，hé shì rù luó wéi

译文 燕地的春草还稚嫩得如青青的细丝，而秦地的桑叶却茂盛得压弯了树枝。仲春时节，当你思恋家乡之日，恰是我盼望你早日归来的断肠之时。春风啊，你我并不相识，你为什么擅自掀动我的帐子？

黄鹤楼闻笛 _{huáng hè lóu wén dí}
李白 _{lǐ bái}

一为迁客①去长沙，
yì wéi qiān kè qù cháng shā

西望长安不见家。
xī wàngcháng ān bú jiàn jiā

黄鹤楼中吹玉笛，
huáng hè lóu zhōngchuī yù dí

江城②五月落梅花。
jiāngchéng wǔ yuè luò méi huā

注释 ①迁客：被贬官到外地的人。这里指西汉的贾谊。②江城：武汉的旧称。

译文 我像西汉的贾谊被流放去长沙一样被贬官流放，向西远望长安却看不到我的家。黄鹤楼上传来清幽的笛声，乐曲里，五月的江城仿佛处处都飘落着梅花。

春夜洛城闻笛 李白

chūn yè luò chéng wén dí

shuí jiā yù dí àn fēi shēng　sàn rù chūn fēng mǎn luò chéng
谁家玉笛暗飞声，散入春风满洛城①。

cǐ yè qǔ zhōng wén zhé liǔ　hé rén bù qǐ gù yuán qíng
此夜曲中闻折柳，何人不起故园情！

注释 ①洛城：洛阳城。

译文 不知从谁家传来凄清的笛声，这悠扬的笛声随着春风飞遍洛阳城。在这样一个春天的夜晚，听到这支饱含离愁别绪的《折杨柳》，谁能不起思乡之情呢！

送友人 李白

sòng yǒu rén

qīng shān héng běi guō　bái shuǐ rào dōng chéng
青山横北郭①，白水绕东城。

cǐ dì yī wéi bié　gū péng wàn lǐ zhēng
此地一为别，孤蓬万里征。

fú yún yóu zǐ yì　luò rì gù rén qíng
浮云游子意，落日故人情。

huī shǒu zì zī qù　xiāo xiāo bān mǎ míng
挥手自兹去，萧萧班马②鸣。

注释 ①郭：古代城由内城和外城组成，郭指外城的墙。②班马：班，分开的意思；班马，离群的马。

译文 青山横亘在北城外，清澈的水流环绕着东城。在此地我们一一分别，就好像孤蓬飘泊万里开启征程。天上的浮云仿佛游子思乡意，夕阳余晖下落就是我的故友情。挥一挥手你从此分别离我而去，马儿因分别也萧萧嘶鸣。

劳劳亭

láo láo tíng

李白

tiān xià shāng xīn chù
天下伤心处，

láo láo sòng kè tíng
劳劳送客亭。

chūn fēng zhī bié kǔ
春风知别苦，

bù qiǎn liǔ tiáo qīng
不遣柳条青。

译文 天下最令人伤心的地方在哪里？在劳劳亭。这里是送别客人的地方。春风啊，如果你知道离别的人们的痛苦心情的话，就不要再让柳条发芽吧，因为折柳就要离别的呀！

怨情

yuàn qíng

李白

měi rén juǎn zhū lián
美人卷珠帘，

shēn zuò cù é méi
深坐蹙①娥眉。

dàn jiàn lèi hén shī
但见泪痕湿，

bù zhī xīn hèn shuí
不知心恨谁。

注释 ①蹙：皱眉。

译文 美丽的女子卷起珠帘，皱着眉头久久地呆坐着。只看见她在流着眼泪，却不知道她心里在怨恨着谁。

塞下曲 (其一)　卢纶

月黑雁飞高，单于夜遁逃。
欲将轻骑逐，大雪满弓刀。

注释　①塞下曲：古代一种歌曲名，大多描写边塞故事。②单于：匈奴首领。这里指边疆少数民族首领。③欲：想要。④将：率领。⑤逐：追逐。

译文　在乌云遮月的夜晚，一群大雁惊起直飞天空，原来敌人趁着夜色悄悄逃跑。将军正想要率领轻骑兵去追击敌人，大雪纷纷沾满了将士们的弓和刀。

逢病军人　卢纶

行多有病住无粮，
万里还乡来到乡。
蓬鬓哀吟古城下，
不堪秋气入金疮。

注释　①蓬鬓：蓬，蓬草；形容头发像蓬草一样乱。②不堪：不能忍受。③金疮：刀箭的创伤。

译文　途远病重走不动，住下又无充饥粮，要回到万里之遥的家乡，还要走很远的路程。他蓬乱着头发呻吟在古城下，原来是那秋天的寒气刺入金疮使他难以忍受。

富贵曲
fù guì qǔ

郑遨 zhèng áo

美人梳洗时，
měi rén shū xǐ shí

满头间①珠翠②。
mǎn tóu jiàn zhū cuì

岂知两片云③，
qǐ zhī liǎng piàn yún

戴却数乡税。
dài què shù xiāng shuì

注释 ①间：间隔。②珠翠：珍珠和翡翠。③两片云：两边的云鬟。

译文 美人梳妆打扮的时候，满头交错地缀满了珍珠和翡翠。哪里知道她两边云鬟的装饰物，却要花掉几个乡缴纳的赋税。

孤雁
gū yàn

杜甫 dù fǔ

孤雁不饮啄，飞鸣声念群。
gū yàn bù yǐn zhuó　fēi míng shēng niàn qún

谁怜一片影，相失万重云？
shuí lián yí piàn yǐng　xiāng shī wàn chóng yún

望尽似犹见，哀多如更闻。
wàng jìn sì yóu jiàn　āi duō rú gèng wén

野鸦无意绪，鸣噪自纷纷。
yě yā wú yì xù　míng zào zì fēn fēn

译文 一只离群的孤雁，它不喝水不啄食，只是一个劲儿地飞着叫着，思念和追寻着它的伙伴。然而又有谁来怜惜这浩茫天际中的孤雁呢？它望尽天涯，仿佛伙伴们就在眼前；它哀鸣声声，好像听到了同伴的呼唤。然而野鸦们全然不懂孤雁的心情，只顾在那里纷纷然鼓噪不休。

前出塞①

杜甫

挽②弓当挽强③，

用箭当用长④。

射人先射马，

擒⑤贼先擒王⑥。

注释 ①出塞：汉乐府曲名。②挽：拉开。③强：指大而有力的弓。④长：长箭。⑤擒：捉拿。⑥王：首领。

译文 拉弓就要拉强而有力的弓，用箭就要用长箭，射敌人要先射他骑的马，捉敌人应要捉拿敌军首领。

水槛遣心二首(其一)

杜甫

去郭轩楹敞，无村眺望赊。

澄江平少岸，幽树晚多花。

细雨鱼儿出，微风燕子斜。

城中十万户，此地两三家。

译文 草堂离城郭很远，庭院开阔宽敞，周围没有村落，可以放眼远望。倚着廊柱望去，碧澄浩荡的江水，似乎和江岸齐平了，郁郁葱葱的树木间，在春日的黄昏里，盛开着鲜花。鱼儿在细雨中欢快地游出水面，燕子在微风下倾斜着身子掠过天空。城里住着成千上万的人，而这里人烟稀少，闲适安静。

bā zhèn tú
八阵图①

杜甫

gōng gài   sān fēn guó
功盖②三分国③，

míng chéng bā zhèn tú
名成八阵图。

jiāng liú shí bù zhuǎn
江流石不转，

yí hèn shī tūn wú
遗恨失吞吴。

注释 ①八阵图：由八种阵势组成的操练图形，诸葛亮曾用过此阵。②盖：超过。③三分国：指三国时魏、蜀、吴三国。

译文 诸葛亮的功劳是建立三分天下的鼎足之势，他的名声是创制了八阵图。任凭江水冲击但此功名永存，所遗憾的是刘备没有吞并东吴。

yuè   yè
月 夜

杜甫

jīn yè fū zhōu yuè   guī zhōng   zhǐ dú kàn
今夜鄜州月，闺中①只独看。

yáo lián xiǎo ér nǚ   wèi jiě yì cháng ān
遥怜小儿女，未解忆长安。

xiāng wù yún huán shī   qīng huī yù bì hán
香雾云鬟湿，清辉玉臂寒。

hé shí yǐ xū huǎng   shuāng zhào lèi hén gān
何时倚虚幌②，双照泪痕干？

注释 ①闺中：指诗人妻子。②虚幌：薄而透明的帷帐。

译文 今夜家乡鄜州的明月，只能你一个人欣赏了。可怜我幼小的儿女，还不知道想念远方的父亲。夜雾会打湿你美丽的长发，清冷的月光会让你白皙的手臂深觉寒意。什么时候才能倚在帷帐旁，让月光照干你我脸上的泪痕呢？

绝句二首(其二) 杜甫

jué jù èr shǒu (qí èr) dù fǔ

江碧鸟逾白，山青花欲燃。
jiāng bì niǎo yú bái shān qīng huā yù rán

今春看又过，何日是归年。
jīn chūn kàn yòu guò hé rì shì guī nián

译文 鸟儿飞过大江，由于碧绿的江水衬托，鸟儿的羽毛显得更白了。而盛开的红花在青山的映照下，也像一团团燃烧的火一样艳丽。今年的春天是在赏花观鸟中度过的，可是哪一天才是我回到家乡的日子啊！

春夜喜雨 杜甫

chūn yè xǐ yǔ dù fǔ

好雨知时节，当①春乃②发生③。
hǎo yǔ zhī shí jié dāng chūn nǎi fā shēng

随风潜④入夜，润物细无声。
suí fēng qián rù yè rùn wù xì wú shēng

野径云俱⑤黑，江船火独明。
yě jìng yún jù hēi jiāng chuán huǒ dú míng

晓看红湿⑥处，花重⑦锦官城⑧。
xiǎo kàn hóng shī chù huā zhòng jǐn guānchéng

注释 ①当：正值。②乃：就，即。③发生：催发植物生长。④潜：悄悄地。⑤俱：都。⑥红湿：指雨后的花朵红润一片。⑦花重：花中饱含着雨水而显得沉重的样子。⑧锦官城：四川成都的别称。

译文 好雨也知赶时节，正值春天万物萌发生长需要季节，它在夜间随着春风悄悄降临，悄悄地滋润着万物不发出一点声响。野外小路上空的乌云黑茫茫一片，江中渔船上的灯火显得格外通明。清晨再看那春雨滋润的地方，饱含春雨的鲜花开遍了锦官城。

春望 chūn wàng 杜甫 dù fǔ

国①破山河在，城春草木深。
guó pò shān hé zài　chéng chūn cǎo mù shēn

感时②花溅泪，恨别鸟惊心。
gǎn shí huā jiàn lèi　hèn bié niǎo jīng xīn

烽火连三月，家书抵③万金。
fēng huǒ lián sān yuè　jiā shū dǐ wàn jīn

白头搔更短④，浑⑤欲不胜簪。
bái tóu sāo gèng duǎn　hún yù bú shèng zān

注释 ①国：指京城长安。②感时：感叹时事。③抵：值。④短：短少。⑤浑：简直。

译文 京城长安沦陷已经被叛军破坏，国家破碎，只是山河依旧，春天的荒城里只有密密的野草丛生。感伤国事我见花落泪，怨恨亲人离乱听到鸟鸣也心惊胆战。战火已经蔓延三个月，音讯不通，一封家信可抵万两黄金。愁绪使我满头的白发越搔越少，简直插不住发簪了。

绝句漫兴 jué jù màn xìng 杜甫 dù fǔ

糁①径杨花铺白毡，点②溪荷叶叠青钱③。
sǎn jìng yáng huā pū bái zhān　diǎn xī hé yè dié qīng qián

笋根雉子④无人见，沙上凫雏⑤傍母眠。
sǔn gēn zhì zǐ wú rén jiàn　shā shàng fú chú bàng mǔ mián

注释 ①糁：米粒。②点：点缀。③青钱：铜钱。④雉子：小野鸡。⑤凫雏：小野鸭。

译文 米粒似的杨花散落在小路上，像是铺着的白毡；溪里点缀水面的荷叶，犹如重叠着的铜钱。竹笋丛中的小野鸡旁若无人走来走去，沙滩上的小野鸭正靠在它母亲的怀里酣眠。

zèng huā qīng
赠花卿
杜甫

jǐn chéng sī guǎn rì fēn fēn
锦城丝管日纷纷，

bàn rù jiāng fēng bàn rù yún
半入江风半入云。

cǐ qǔ zhǐ yīng tiān shàng yǒu
此曲只应天上有，

rén jiān néng dé jǐ huí wén
人间能得几回闻。

译文 锦城里，花卿家每日都有管弦乐器奏出轻悠的乐曲，那动听的乐曲随着江风播于四方，飘入白云之间。这样美妙的乐曲只应天上才有，人世间的普通百姓能听到几回。

jiāng pàn dú bù xún huā
江畔独步寻花(之六) zhī liù
杜甫

huáng sì niáng jiā huā mǎn xī
黄四娘①家花满蹊②，

qiān duǒ wàn duǒ yā zhī dī
千朵万朵压枝低。

liú lián xì dié shí shí wǔ
留连③戏蝶时时舞，

zì zài jiāo yīng qià qià tí
自在娇④莺恰恰⑤啼。

注释 ①黄四娘：杜甫住在四川成都浣花溪边时的女邻居。②花满蹊：蹊，小路；花很多，把小路都遮挡住了。③留连：留恋，舍不得离开。④娇：美丽，可爱。⑤恰恰：形容声音和谐。

译文 黄四娘家的小路旁开满了各种各样的鲜花，成千上万朵鲜花把花枝压得低低垂下。嬉戏的蝴蝶在花丛中留恋地追逐飞舞，自由自在的黄莺在花间欢跳啼鸣。

江南逢李龟年
jiāng nán féng lǐ guī nián

杜甫
dù fǔ

岐王①宅里寻常见，
qí wáng zhái lǐ xún cháng jiàn

崔九堂前几度②闻。
cuī jiǔ táng qián jǐ dù wén

正是江南好风景，
zhèng shì jiāng nán hǎo fēng jǐng

落花时节③又逢君。
luò huā shí jié yòu féng jūn

注释 ①岐王:指唐玄宗的弟弟李范,他被封为岐王。②几度:几次,好多次。③落花时节:各种花凋谢的季节,指暮春三月。

译文 岐王的府中时常见到你的身影,崔九堂前多次听到过您演唱。正好是江南风景如画的时节,百花凋谢的暮春三月里又遇到了您。

月夜忆舍弟
yuè yè yì shè dì

杜甫
dù fǔ

戍鼓断人行,边秋一雁声。
shù gǔ duàn rén xíng biān qiū yī yàn shēng

露从今夜白,月是故乡明。
lù cóng jīn yè bái yuè shì gù xiāng míng

有弟皆分散,无家问死生。
yǒu dì jiē fēn sàn wú jiā wèn sǐ shēng

寄书长不达,况乃未休兵。
jì shū cháng bù dá kuàng nǎi wèi xiū bīng

译文 戍楼上的更鼓咚咚敲响,路上已经没有行人,只有一行归雁鸣叫着从这秋天的边境飞过。今天已是白露节了,月光皎洁如水,但故乡的月亮会比这里的月亮更明亮吧。我与弟弟早已分散,失去家园以来,我无处询问亲人的生死。平时寄出家书尚且常常无法到达,何况现在烽火连天还没有停止战争。

天末怀李白

tiān mò huái lǐ bái

杜甫

凉风起天末①，君子意如何？
liáng fēng qǐ tiān mò jūn zǐ yì rú hé

鸿雁几时到，江湖秋水多。
hóng yàn jǐ shí dào jiāng hú qiū shuǐ duō

文章憎命达，魑魅②喜人过。
wén zhāng zēng mìng dá chī mèi xǐ rén guò

应共冤魂语，投诗赠汨罗③。
yīng gòng yuān hún yǔ tóu shī zèng mì luó

注释 ①天末：天边。②魑魅：鬼怪。③汨罗：汨罗江，在今湖南东北。

译文 习习的凉风从遥远的天边吹起，诗人啊你现在感觉如何？鸿雁何时能带来你的消息，江湖上波翻浪涌风险多！文情诗才似乎最憎恨人的命运通达，妖魔鬼怪最喜欢人犯错。你与屈原该有同样的冤屈，请别忘记投诗祭奠汨罗！

曲江(其二)

qǔ jiāng (qí èr)

杜甫

朝回①日日典春衣②，
cháo huí rì rì diǎn chūn yī

每日江头③尽醉归。
měi rì jiāng tóu jìn zuì guī

酒债寻常行处有，
jiǔ zhài xún cháng xíng chù yǒu

人生七十古来稀。
rén shēng qī shí gǔ lái xī

注释 ①朝回：退朝回来。②典春衣：典当春衣换钱买酒。③江头：曲江边。

译文 每天退朝回家以后就想喝酒消愁，但家贫无钱，只有典当春衣去买酒。买了酒，在江边喝得酩酊大醉才跟跄而归。有时酒钱不足只好赊欠，欠酒债已成为寻常的事情，能活到七十岁的人自古以来就很少。

曲池荷

qū chí hé

卢照邻
lú zhào lín

浮香①绕曲岸②，
fú xiāng rào qū àn

圆影③覆华池。
yuán yǐng fù huá chí

常恐秋风早，
cháng kǒng qiū fēng zǎo

飘零君不知。
piāo líng jūn bù zhī

注释 ①浮香：荷花的香气。②曲岸：曲折的堤岸。③圆影：指圆圆的荷叶。

译文 阵阵荷香浮在池塘边，圆圆的荷叶覆盖着池塘水。常担心秋风过早降临，这花不知被风吹落到哪里去。

浴浪鸟

yù làng niǎo

卢照邻
lú zhào lín

独舞依磐石①，
dú wǔ yī pán shí

群飞动轻浪。
qún fēi dòng qīng làng

奋飞碧沙前，
fèn fēi bì shā qián

长怀白云上。
cháng huái bái yún shàng

注释 ①磐石：大石。

译文 鸟儿独舞时绕着大石飞旋，群飞时掀起阵阵风浪。在沙滩前迅疾奋飞，心中常怀有凌云之志。

gōng zǐ xíng

公子行

孟宾于 mèng bīn yú

jǐn yī hóng duó cǎi xiá míng
锦衣红夺①彩霞明，

qīn xiǎo chūn yóu xiàng yě tíng
侵晓②春游向野庭③。

bù shí nóng fū xīn kǔ lì
不识农夫辛苦力，

jiāo cōng tà làn mài qīng qīng
骄骢④踏烂麦青青。

注释 ①夺：赛过。②侵晓：天刚亮。③野庭：田野。④骄骢：健壮的毛色青白相间的马。

译文 富贵人家的公子们穿着锦缎做得比彩霞还要鲜艳的衣服，一大清早就骑着马去野外游春。他们尽兴玩耍，根本不管农民辛辛苦苦种植的庄稼，纵马奔驰，踏烂了无数的麦苗。

lán qiáo yì jiàn yuán jiǔ shī

蓝桥驿见元九诗

白居易 bái jū yì

lán qiáo chūn xuě jūn guī rì
蓝桥春雪君归日，

qín lǐng qiū fēng wǒ qù shí
秦岭秋风我去时。

měi dào yì tíng xiān xià mǎ
每到驿亭先下马，

xún qiáng rào zhù mì jūn shī
循墙绕柱觅君诗。

译文 当蓝桥下起春雪的时候，您从唐州奉召回京，在秦岭秋风渐起的时候，我却从长安贬到江州。我曾在蓝桥驿亭见过您所题写的诗，此后每到一座驿亭我都要先下马，在墙壁上、柱子上仔细地寻找您的诗篇。

遗爱寺①

yí ài sì

白居易 bái jū yì

弄②石临③溪坐，
nòng shí lín xī zuò

寻花绕寺行。
xún huā rào sì xíng

时时闻鸟语，
shí shí wén niǎo yǔ

处处是泉声。
chù chù shì quán shēng

注释 ①遗爱寺：在今庐山香炉峰下。②弄：拿在手里玩。③临：面对。

译文 我拿着石子面对小溪端坐，为了赏花，绕着寺庙周围的小路而行。不时听到鸟语声，四周到处听到泉水的叮咚声。

问刘十九

wèn liú shí jiǔ

白居易 bái jū yì

绿蚁新醅酒，
lù yǐ xīn pēi jiǔ

红泥小火炉。
hóng ní xiǎo huǒ lú

晚来天欲雪，
wǎn lái tiān yù xuě

能饮一杯无？
néng yǐn yì bēi wú

译文 新酿的米酒色佳香浓，正暖在红泥抹成的小火炉上。天黑时，一场大雪马上就要飘落下来，此时你能来和我共饮一杯酒吗？

花非花

huā fēi huā

白居易

花非花，雾非雾。
夜半来，天明去。
来如春梦几多时，
去似朝云无觅①处。

注释 ①觅：寻找。

译文 像花不是花，像雾不是雾。半夜来临，天明离去。来时如春梦美妙而短暂，离开时如朝霞变幻难寻。

鸟

niǎo

白居易

谁道群生性命微，
一般骨肉一般皮。
劝君莫打枝头鸟，
子在巢中望母归。

译文 谁说动物的生命就微不足道，它们和人类一样有骨有肉有皮肤。我希望你不要打那枝头上停留的鸟，它的孩子正在巢中盼望着母亲快点回来。

guān yóu yú
观游鱼

白居易

rào chí xián bù　kàn yú yóu
绕池闲步①看鱼游，

zhèng zhí　ér tóng nòng diào zhōu
正值②儿童弄钓舟。

yì zhōng ài yú xīn gè yì
一种爱鱼心各异，

wǒ lái shī shí ěr chuí gōu
我来施食尔垂钩。

注释 ①闲步:散步。②正值:正好。

译文 绕着水池散步,观看鱼儿畅游,正好有小孩子乘着小船垂钓。我们同样喜爱鱼,但心思各有不同,我来喂鱼,他却来钓鱼。

cūn yè
村 夜

白居易

shuāng cǎo cāng cāng　chóng qiè qiè
霜草苍苍①虫切切②，

cūn nán cūn běi xíng rén jué
村南村北行人绝。

dú chū mén qián wàng yě tián
独出门前望野田，

yuè míng qiáo mài huā rú xuě
月明荞麦花如雪。

注释 ①苍苍:在此是茂密的意思。②切切:形容虫鸣的细碎声音,现写作"窃窃"。

译文 经霜的草仍然茂密,虫鸣声声,村南村北夜间行人已经没有了。我走到门前远望野外的田野,月光明亮,照耀着荞麦花像满地白雪。

guān yì mài
观刈麦

白居易
bái jū yì

tián jiā shǎo xián yuè　　wǔ yuè rén bèi máng
田家少闲月，五月人倍忙。

yè lái nán fēng qǐ　　xiǎo mài fù lǒng huáng
夜来南风起，小麦覆垄黄。

fù gū hè dān sì　　tóng zhì xié hú jiāng
妇姑荷箪食，童稚携壶浆。

xiāng suí xiǎng tián qù　　dīng zhuàng zài nán gāng
相随饷田去，丁壮在南冈。

译文 种田的人家很少有空闲的时间，五月会更加忙碌。夜晚吹起了南风，金黄的小麦就遮住了田垄。妇人们挑着装食物的竹器，孩童们背着水壶，一同去田里送饭，年轻力壮的人都在南山坡收割麦子。

yè xuě
夜雪

白居易
bái jū yì

yǐ yà qīn zhěn lěng
已讶衾枕冷，

fù jiàn chuāng hù míng
复见窗户明。

yè shēn zhī xuě zhòng
夜深知雪重，

shí wén zhé zhú shēng
时闻折竹声。

译文 今夜实在寒冷，连被子、枕头都是冷冰冰的，这已经令我惊奇，却又看到窗外一片光明。只有在夜深人静的时候才知道雪下得好大好大，耳边不时传来积雪将竹枝压断的声音。

勤政楼西老柳
qín zhèng lóu xī lǎo liǔ

白居易

半朽临风树，
多情立马人。
开元一枝柳，
长庆二年春。

译文　这棵柳树尽管已经老朽，可依然在西风中摆弄它的枝条，我立马凝视着它，不禁黯然神伤。老柳树，你是开元年间种下的，如今已是长庆二年，阅尽了人世的沧桑！

白石滩
bái shí tān

王维

清①浅白石滩，
绿蒲向堪把。
家住水东西，
浣纱②明月下。

注释　①清：清澈。②浣纱：洗衣服或棉纱。

译文　清澈见底的白石浅滩，嫩绿的蒲草可以满把采摘。一群少女在绿水两旁，趁着皎洁的月光洗衣浣纱。

辛夷坞①

xīn yí wù

王维 wáng wéi

木末②芙蓉③花，山中发红萼。
mù mò fú róng huā shānzhōng fā hóng è

涧户④寂无人，纷纷开且落。
jiàn hù jì wú rén fēn fēn kāi qiě luò

注释 ①辛夷坞:辛夷,花名,即木芙蓉花,辛夷坞是王维辋川别墅中的一景。②木末:末,枝端,即枝条上的最末端。③芙蓉:指木芙蓉,不是荷花。④涧户:山沟的出口。

译文 枝条顶端的辛夷花,在山中绽放鲜红的花萼。山沟的出口没有人,它纷纷开后又片片洒落。

九月九日忆山东兄弟

jiǔ yuè jiǔ rì yì shāndōngxiōng dì

王维 wáng wéi

独在异乡为异客,
dú zài yì xiāng wéi yì kè

每逢佳节倍思亲。
měi féng jiā jié bèi sī qīn

遥知兄弟登高①处,
yáo zhī xiōng dì dēng gāo chù

遍插茱萸②少一人。
biàn chā zhū yú shǎo yì rén

注释 ①登高:阴历九月初九重阳节,民间有登高避邪的习俗。②茱萸:一种植物,传说重阳节扎茱萸袋、登高、饮菊花酒可避灾。

译文 我独自一人在异乡作客,每逢佳节良辰就更加思念亲人。遥想今日重阳,在家乡的兄弟又在登高,他们四处插茱萸时,却发觉少了我一人。

送元二使安西

sòng yuán èr shǐ ān xī

王维

渭城①朝雨浥②轻尘，
wèi chéng zhāo yǔ yì qīng chén

客舍③青青柳色④新。
kè shè qīng qīng liǔ sè xīn

劝君更尽一杯酒，
quàn jūn gèng jìn yì bēi jiǔ

西出阳关⑤无故人。
xī chū yáng guān wú gù rén

注释 ①渭城：就是咸阳，现今陕西省西安市西。②浥：湿润。③客舍：旅馆。④柳色：柳象征离别。⑤阳关：古关名，在甘肃省敦煌西南，由于在玉门关以南，故称阳关，是出塞必经之地。

译文 渭城的早晨下了一场春雨湿润了路上的尘土，客舍旁青青的柳树翠绿如新。请你再干一杯饯别酒吧，出了阳关往西走就再也见不到老朋友了。

杂诗

zá shī

王维

君①自故乡来，
jūn zì gù xiāng lái

应知故乡事。
yīng zhī gù xiāng shì

来日绮窗②前，
lái rì qǐ chuāng qián

寒梅着③花未？
hán méi zhuó huā wèi

注释 ①君：对别人的尊称。②绮窗：有雕饰的窗户。③着花：开花。

译文 你刚刚从我的家乡来，应该了解那里的事情。我想问一下，你来的那天，我家窗前的梅花开了没有？

酬张少府
chóuzhāngshào fǔ

wáng wéi
王 维

wǎn nián wéi hào jìng wàn shì bù guān xīn
晚年惟①好静，万事不关心。

zì gù wú cháng cè kōng zhī fǎn jiù lín
自顾②无长策，空知返旧林。

sōng fēng chuī jiě dài shān yuè zhào tán qín
松风吹解带，山月照弹琴。

jūn wèn qióng tōng lǐ yú gē rù pǔ shēn
君问穷通③理，渔歌入浦深。

注释 ①惟：同"唯"，只。②自顾：私下思忖。③穷通：困境和顺利。

译文 到了晚年我独自爱好清静，对外面纷扰的世事不关心。自己觉得没有良策可报国，去除俗念回到我昔日的山林。松风吹拂，使我舒展自己的身体，山月朗照正好抚琴弹弦。君若问穷困通达的道理，请听水浦深处渔歌的声音！

山 中
shān zhōng

wáng wéi
王 维

jīng xī bái shí chū
荆溪①白石出，

tiān hán hóng yè xī
天寒红叶稀。

shān lù yuán wú yǔ
山路元②无雨，

kōng cuì shī rén yī
空翠湿人衣③。

注释 ①荆溪：溪水名。②元：同"原"。③空翠句：指山色苍翠欲滴，有湿衣之感。

译文 荆溪里浅浅的溪水流淌着，冲刷着露出水面的白石，天冷寒气袭来，红叶在凋落。走在无雨的山间小路上，苍翠欲滴的山色，打湿了我的衣服。

guò xiāng jī sì
过香积寺

wáng wéi
王维

bù zhī xiāng jī sì　　shù lǐ rù yún fēng
不知香积寺，数里入云峰①。

gǔ mù wú rén jìng　　shēn shān hé chù zhōng
古木无人径，深山何处钟？

quán shēng yè wēi shí　　rì sè lěng qīng sōng
泉声咽危石，日色冷青松。

bó mù kōng tán qǔ　　ān chán zhì dú lóng
薄暮②空潭曲，安禅制毒龙。

注释　①云峰：云雾缭绕的山峰。②薄暮：接近黄昏的时候。

译文　不知道香积寺坐落在哪里，我赶了好几里的路，来到云雾缭绕的山上，只见古木参天，却不见小路。在这深山里，悠扬的钟声是从什么地方传来的呢？泉水从高耸的石块上流过的声音，像是在鸣咽一般。阳光映照在青松上，令人有股凉意。黄昏时，我在清潭边静坐，内心所有杂念都已离我远去。

cǎi lián zǐ
采莲子

huáng fǔ sōng
皇甫松

chuán dòng hú guāng yàn yàn qiū
船动湖光滟滟秋，

tān kàn nián shào xìn chuán liú
贪看年少信船流。

wú duān gé shuǐ pāo lián zǐ
无端隔水抛莲子，

yáo bèi rén zhī bàn rì xiū
遥被人知半日羞。

译文　湖面上水光荡漾，映出一派秋色，一个少女划着小船在采莲，当一个英俊的少年在岸上出现时，她便出神地凝视着他，任凭那小船随波逐流。突然，少女抓起一把莲子用力向少年抛去，没想到远远被人看到了，少女羞得脸红了老半天。

寄人^①

jì rén

张泌 zhāng mì

bié mèng yī yī dào xiè jiā
别梦依依到谢家，

xiǎo láng huí hé qū lán xiá
小廊回合^②曲阑斜。

duō qíng zhǐ yǒu chūn tíng yuè
多情只有春庭月，

yóu wèi lí rén zhào luò huā
犹为离人照落花。

注释 ①寄人：写给意中人。②回合：环绕。

译文 分别以后，常在梦里回到谢家。小廊环绕，曲阑依旧，只有多情的春庭明月，还在为我照着与你离别时的落花。

云

yún

来鹄 lái hú

qiān xíng wàn xiàng jìng hái kōng
千形万象竟还空，

yìng shuǐ cáng shān piàn fù chóng
映水藏山片复重。

wú xiàn hàn miáo kū yù jìn
无限旱苗枯欲尽，

yōu yōu xián chù zuò qí fēng
悠悠闲处作奇峰。

译文 天空的云朵不断变幻出各种形状，人们企盼下雨的想法还是次次落空。云朵时而藏在山后，时而映入水中，一会儿化成单片轻飘，一会儿一层层重叠滚动。大片干旱的禾苗已经晒干将要枯死了，而夏日的白云竟无动于衷，它们悠然自得地在晴空幻化成一座座奇峰。

寄扬州韩绰判官
jì yángzhōu hán chuò pàn guān

杜牧
dù mù

青山隐隐水迢迢，
qīng shān yǐn yǐn shuǐ tiáo tiáo

秋尽江南草木凋。
qiū jìn jiāng nán cǎo mù diāo

二十四桥明月夜，
èr shí sì qiáo míng yuè yè

玉人何处教吹箫？
yù rén hé chù jiào chuī xiāo

译文 扬州附近，青山时隐时现，绿水流向远方。这时秋天将尽，江南的草木也都凋谢了。在那有二十四桥的扬州的月明之夜，不知从哪里传来了漂亮女人吹箫的声音。

题乌江亭①
tí wū jiāng tíng

杜牧
dù mù

胜败兵家事不期②，
shèng bài bīng jiā shì bù qī

包羞忍耻是男儿。
bāo xiū rěn chǐ shì nán ér

江东子弟多才俊，
jiāng dōng zǐ dì duō cái jùn

卷土重来未可知。
juǎn tǔ chóng lái wèi kě zhī

注释 ①乌江亭即安徽和县东北的乌江埔，传说是项羽自刎的地方。②期：预料。

译文 战争的胜败是兵家常事，事先很难预料，能够经受失败，忍辱负重才是真正的大丈夫。江东的子弟中多的是人才俊杰，如果当年项羽重返江东重整旗鼓，说不定又有卷土重来的那一天。

赤壁

杜牧

折戟沉沙铁未销，
自将磨洗认前朝。
东风不与周郎便，
铜雀春深锁二乔。

译文 折断的铁戟沉没在水底沙中还没有被锈蚀掉，我把它捞起来磨光洗净，认出原来是前朝赤壁之战时的遗物。假如当年不是东风帮助周瑜火烧曹军，恐怕大乔、小乔（孙策、周瑜的妻子）就要被深锁在曹操的铜雀台了。

过华清宫

杜牧

长安回望绣成堆，
山顶千门次第开。
一骑红尘妃子笑，
无人知是荔枝来。

译文 从长安回望华清宫，林木、花卉、建筑物像一堆堆锦绣，美不胜收。千扇宫门按顺序一扇扇打开。一个使者骑着快马飞奔而来，身后卷起一片尘埃，杨玉环嫣然一笑，没有别人知道她愿意吃的荔枝已从南方运来。

秋夕①

杜牧

银烛②秋光冷画屏③，

轻罗小扇扑流萤。

天阶④夜色凉如水，

坐看牵牛⑤织女星⑥。

注释 ①秋夕：指农历七月七日的晚上。②银烛：白色的蜡烛。③画屏：上面有画的屏风。④天阶：指皇宫的石台阶。⑤牵牛星：又名牛郎星，是天鹰座中最亮的一颗星，隔着银河与织女星相对。⑥织女星：天琴座中最亮的一颗星。

译文 银色的蜡烛发出微弱的光，在秋夜的月光照射下，画屏上一片清冷，宫女们手拿轻罗扇扑打着飞来飞去的流萤。夜深了，寒气袭人，宫女仍然坐在皇宫的石阶上，仰望夜空里的牛郎星和织女星。

金谷园

杜牧

繁华事散逐香尘，流水无情草自春。

日暮东风怨啼鸟，落花犹似坠楼人。

译文 西晋时石崇的奢华故事随着香尘一起消失了。就像流水无情，草木空空地呈现春色，没人再去思念。天晚了，东风也在抱怨啼鸟不解人意。不懂得落花就像当年的跳楼人绿珠一样，一去不返。

将赴吴兴登乐游原一绝 杜牧

jiāng fù wú xìng dēng lè yóu yuán yì jué

清时有味是无能，
qīng shí yǒu wèi shì wú néng

闲爱孤云静爱僧。
xián ài gū yún jìng ài sēng

欲把一麾江海去，
yù bǎ yì huī jiāng hǎi qù

乐游原上望昭陵。
lè yóu yuán shàng wàng zhāo líng

译文 在太平盛世，有到处游玩消遣的兴趣是一种无能的表现。而我却爱孤云的悠闲、和尚的安静。现在我即将去做湖州刺史，我要到乐游原上去凭吊唐太宗的陵墓以寄托自己对太平盛世的向往。

赠 别(其二) 杜牧

zèng bié (qí èr)

多情却似总无情，
duō qíng què sì zǒng wú qíng

惟①觉樽前②笑不成。
wéi jué zūn qián xiào bù chéng

蜡烛有心还惜别，
là zhú yǒu xīn hái xī bié

替人垂泪到天明。
tì rén chuí lèi dào tiān míng

注释 ①惟：同"唯"，只。②樽前：指饯别的酒宴上。

译文 分别的时候分明是多情的，只是感觉到在酒宴上强颜欢笑却无法笑出来。蜡烛好像也懂得我们惜别之心，默默地替人"流泪"到天明。

春游 韩愈

漠漠^①轻阴晚自开，

青山白日映楼台。

曲江水满花千树，

有底^②忙时不肯来？

注释 ①漠漠：烟雾迷蒙的样子。②有底：有什么。

译文 薄雾迷蒙，到傍晚便自行散开，晴朗的蓝天下，阳光照耀着楼阁亭台。曲江池水已经涨满，千树繁花已经盛开，你在忙什么而不肯到这里来？

早春 韩愈

天街^①小雨润如酥，

草色遥看近却无。

最是一年春好处，

绝胜^②烟柳满皇都^③。

注释 ①天街：京城的街道。②绝胜：远远超过。③皇都：指京城长安。

译文 京城长安刚下过一场小雨，长安的街道就像被酥油滋润过一般，最初的春草嫩芽冒了出来，远远望去，一片嫩绿的青青之色，可走近再看，反而却什么也没有了。初春是一年中最好的时光，远远胜过那绿柳如烟般笼罩的京城景色。

柳溪 liǔ xī

韩愈 hán yù

柳树谁人种，
liǔ shù shuí rén zhòng

行行夹岸高。
háng háng jiā àn gāo

莫将条系缆①，
mò jiāng tiáo jì lǎn

着处有蝉号。
zhuó chù yǒu chán háo

注释 ①系缆：系船。

译文 溪边的柳树是谁栽种的呢？它们高高垂立在堤岸的两边。不要将船缆系在树上，那里有蝉儿在鸣叫。

春雪 chūn xuě

韩愈 hán yù

新年①都未有芳华，
xīn nián dōu wèi yǒu fāng huá

二月初惊见草芽。
èr yuè chū jīng xiàn cǎo yá

白雪却嫌春色晚，
bái xuě què xián chūn sè wǎn

故穿庭树作飞花。
gù chuān tíng shù zuò fēi huā

注释 ①新年：指阴历正月初一，立春前后标志着春天的到来。

译文 都已过春节了，却还没有芬芳的鲜花。到了二月，突然看到小草破土而出，萌动着春色，心中充满了惊喜。春雪仿佛再也等不及春天的姗姗来迟，竟然穿过庭院中的大树，纷纷扬扬飘洒，自己装点出一派春色。

劝 学
quàn xué

颜真卿
yán zhēn qīng

三更①灯火五更②鸡③，
sān gēng dēng huǒ wǔ gēng jī

正是男儿读书时。
zhèng shì nán ér dú shū shí

黑发④不知勤学早，
hēi fà bù zhī qín xué zǎo

白首⑤方悔读书迟。
bái shǒu fāng huǐ dú shū chí

注释 ①三更：半夜时分。②五更：天快亮时。③鸡：指鸡打鸣。④黑发：指年轻人。⑤白首：指老年人。

译文 每天从夜晚点灯到天亮前鸡打鸣，正是男儿读书的最好时光。如果年轻时不知道勤奋学习，等到老了，会后悔失去了读书的大好机会。

浪淘沙词九首（其八）
làng táo shā cí jiǔ shǒu qí bā

刘禹锡
liú yǔ xī

莫道谗言如浪深，
mò dào chán yán rú làng shēn

莫言迁客似沙沉。
mò yán qiān kè sì shā chén

千淘万漉虽辛苦，
qiān táo wàn lù suī xīn kǔ

吹尽狂沙始到金。
chuī jìn kuáng shā shǐ dào jīn

译文 不要说什么毁谤的话如同巨浪那么深，也不要说什么被贬谪到外地任职的人如同泥沙一样会沉入江底不得翻身。千淘万洗的磨炼虽然辛苦，但只有吹洗尽所有的灰沙才能发现真正的黄金。

chūn cí
春 词

刘禹锡

xīn zhuāng yí miàn xià zhū lóu
新妆宜面下朱楼，

shēn suǒ chūn guāng yí yuàn chóu
深锁春光一院愁。

xíng dào zhōng tíng shǔ huā duǒ
行①到中庭数花朵，

qīng tíng fēi shàng yù sāo tóu
蜻蜓飞上玉搔头②。

注释 ①行：走。②玉搔头：碧玉的簪头。

译文 刚施好匀称的脂粉走下朱楼，被锁在深院里的春光也充满烦愁。走到庭院中无聊地去数身旁的花朵，一只蜻蜓飞落在碧玉的簪头。

qiū fēng yǐn
秋风引

刘禹锡

hé chù qiū fēng zhì
何处秋风至？

xiāo xiāo sòng yàn qún
萧萧送雁群。

zhāo lái rù tíng shù
朝来入庭树，

gū kè zuì xiān wén
孤客最先闻。

译文 秋风从哪里吹来？风声萧萧吹送着大雁南归。早晨秋风吹动了庭院中的树林，孤身在外的人最先听到。

戏赠看花诸君子

xì zèng kàn huā zhū jūn zǐ

刘禹锡

zǐ mò hóng chén fú miàn lái
紫陌①红尘②拂面来，

wú rén bú dào kàn huā huí
无人不道看花回。

xuán dū guàn lǐ táo qiān shù
玄都观③里桃千树，

jìn shì liú láng qù hòu zāi
尽是刘郎④去后栽。

注释 ①紫陌:京城大道。②红尘:尘土。③玄都观:道观名,在今西安市南。④刘郎:刘禹锡自称。

译文 京城大道上尘土扑面而来,看花归来的人都在议论着花事盛况。玄都观里的桃花树真多啊,可它们都是我被贬离京城后栽培出来的。

浪淘沙(其一)

làng táo shā (qí yī)

刘禹锡

jiǔ qū huáng hé wàn lǐ shā
九曲①黄河万里沙，

làng táo fēng bǒ zì tiān yá
浪淘风簸自天涯。

rú jīn zhí shàng yín hé qù
如今直上银河去，

tóng dào qiān niú zhī nǚ jiā
同到牵牛织女家。

注释 ①九曲:喻黄河曲曲折折。

译文 弯弯曲曲的黄河卷着万里泥沙,从遥远的天际奔腾而来。我要沿着黄河上溯到银河,去拜访牛郎和织女。

对花^①

于濆

花开蝶满枝，花落蜂还^②稀；
惟有旧巢燕^③，主人贫亦归^④。

注释 ①对花：比喻因赏花而心中有所感触。②还：随即。③旧巢燕：以前曾在这里筑过巢的燕子。④归：归来、回归。

译文 当百花绽放时，蝴蝶纷纷飞舞传递花粉，百花凋落之后，蝴蝶不见了，连蜜蜂也随之变得异常稀少。只有以前曾在我家屋檐下筑巢的燕子，不在乎我穷困落魄，仍旧飞来陪伴我。

秋思

张籍

洛阳城里见秋风，
欲作家书意万重^①；
复恐^②匆匆说不尽，
行人^③临发又开封^④。

注释 ①意万重：比喻想说的话很多。②复恐：又担心的意思。③行人：指送信的人。④开封：打开信封。

译文 萧萧的秋风已经笼罩整个洛阳城，在令人感伤的秋意中，我忍不住提笔想写封家书，抒发我内心无限的思念。想说的千言万语，匆忙之间，好像怎么写都不完全；信差都要上路了，却又被我叫了回来，不放心地打开信封一读再读，唯恐有遗漏。

移家^①别湖上亭

yí jiā bié hú shàng tíng

戎昱

好是春风湖上亭，

柳条藤蔓系离情。

黄莺久住浑^②相识，

欲别频啼^③四五声。

注释 ①移家：搬家。②浑：全部。③频啼：连连啼鸣。

译文 好一个春风拂面景色宜人的湖上亭啊，那碧绿的柳条和青翠的藤蔓系着我的离愁别情。树上久住的黄莺与我好像是相识已久的老朋友，它们在我离别时频频鸣叫，似乎怀着依恋不舍之情。

塞下曲

sài xià qǔ

戎昱

汉将^①归来虏塞^②空，

旌旗初下玉关^③东。

高蹄战马三千匹，

落日平原秋草中。

注释 ①汉将：汉朝的将领，这里借指唐朝的将领。②塞：要塞、营塞。③玉关：玉门关，在今甘肃省敦煌西北。

译文 将领们扫空敌营归来，高举旌旗直入玉门关东。三千匹战马放蹄飞奔，冷冷的落日沉入平原秋草中。

赋①新月②

miù shì zǐ
缪氏子③

chū yuè rú gōng wèi shàng xián
初月如弓未上弦④，

fēn míng guà zài bì xiāo biān
分明挂在碧霄⑤边。

shí rén mò dào é méi xiǎo
时人莫道蛾眉小，

sān wǔ tuán yuán zào mǎn tiān
三五团圆造满天。

注释 ①赋：铺写，歌颂。②新月：阴历月初形如弯钩的月亮。③缪氏子：姓缪的，从小聪慧。④未上弦：新月还没有到半圆。⑤碧霄：蓝天。

译文 新月如弯弓还没有到半个圆，却分明像一张弓在天边斜挂着。人们不要小看它只像弯弯的眉毛，等到十五的夜晚，它会团圆完满，光照天下。

偶书

liú chā
刘叉

rì chū fú sāng yí zhàng gāo
日出扶桑①一丈高，

rén jiān wàn shì xì rú máo
人间万事细如毛。

yě fū nù jiàn bù píng shì
野夫②怒见不平事，

mó sǔn xiōngzhōng wàn gǔ dāo
磨损胸中万古刀③。

注释 ①扶桑：神话中海外的大桑树，据说太阳从这里出来。②野夫：粗鲁的人，侠客自称。③万古刀：比喻行侠的人路见不平拔刀相助的精神。

译文 太阳出来，新的一天开始，人世间的事情就多如毛发。我见到不平之事，想为之报仇又不能，正义感只能在胸中消损！

晚　晴
wǎn　qíng

李商隐
lǐ shāng yǐn

深居俯①夹城②，
shēn jū fǔ jiā chéng

春去夏犹清。
chūn qù xià yóu qíng

天意怜幽草，
tiān yì lián yōu cǎo

人间重晚晴。
rén jiān zhòng wǎn qíng

注释　①俯:俯临。②夹城:围绕在城门外的小城。

译文　身居幽僻的地方可以从高处向下看夹城，春天过去夏天到来并不炎热，天气清爽宜人。大自然怜惜生长在幽暗处的小草，久雨转晴，人们更应该珍惜这短暂而美好的黄昏雨晴。

嫦　娥
cháng　é

李商隐
lǐ shāng yǐn

云母屏风烛影深，
yún mǔ píng fēng zhú yǐng shēn

长河渐落晓星沉。
cháng hé jiàn luò xiǎo xīng chén

嫦娥应悔偷灵药，
cháng é yīng huǐ tōu líng yào

碧海青天夜夜心。
bì hǎi qīng tiān yè yè xīn

译文　昏黄的烛光灯影投映在云母镶成的屏风上，黎明前，夜空中长长的银河逐渐西斜，星辰渐渐隐没。嫦娥应该会后悔当年偷吃了长生不老的灵丹妙药吧，如今她在月宫对着碧海一样的青天，夜夜孤单寂寞。

bǎn qiáo xiǎo bié
板桥晓别
李商隐

huí wàng gāo chéng luò xiǎo hé
回望高城落晓河，

cháng tíng chuāng hù yā wēi bō
长亭窗户压微波。

shuǐ xiān yù shàng lǐ yú qù
水仙欲上鲤鱼去，

yí yè fú róng hóng lèi duō
一夜芙蓉红泪多。

译文 从板桥店回头望，身后高高的汴州城墙笼罩在银河淡淡的光芒里。板桥边的长亭靠着池塘，窗户紧贴水波。在这样优美的环境里，也许水中的仙女会骑着红鲤鱼游出水面。一夜间，为我们的离别，她那芙蓉般的脸，满是泪水。

sù luò shì tíng jì huái cuī yōng cuī gǔn
宿骆氏亭寄怀崔雍崔衮
李商隐

zhú wù wú chén shuǐ jiàn qīng
竹坞①无尘水槛②清，

xiāng sī tiáo dì gé chóngchéng
相思迢递③隔重城④。

qiū yīn bú sàn shuāng fēi wǎn
秋阴不散霜飞晚，

liú dé kū hé tīng yǔ shēng
留得枯荷听雨声。

注释 ①竹坞：绿竹丛生的洼地。②水槛：近水的亭台。③迢递：遥远。④重城：一座又一座城。

译文 竹坞洁净无尘，临水的骆氏亭更是清静，不由想起远隔着千山万水的你们，秋日里的阴云不散，霜也来得晚，只听见细雨打在枯荷上的沙沙声。

霜 月

shuāng   yuè

李商隐
lǐ shāng yǐn

初闻征雁①已无蝉,
chū wén zhēng yàn   yǐ wú chán

百尺楼高水接天。
bǎi chǐ lóu gāo shuǐ jiē tiān

青女②素娥③俱耐冷,
qīng nǚ   sù é   jù nài lěng

月中霜里斗④婵娟⑤。
yuè zhōng shuāng lǐ dòu chán juān

注释 ①征雁:旅途中的大雁。②青女:神话中的霜神。③素娥:传说中的月宫嫦娥。④斗:比赛。⑤婵娟:这里指女子姿容美好。

译文 刚听到南飞大雁的叫声,就已经听不到夏蝉的鸣叫了,登上百尺高楼,看见天水连接在一起。澄澈空明的霜神和嫦娥都不惧怕寒冷,她们在秋霜明月中争奇斗艳。

为 有

wèi   yǒu

李商隐
lǐ shāng yǐn

为有云屏无限娇,
wèi yǒu yún píng wú xiàn jiāo

凤城寒尽怕春宵。
fèng chéng hán jìn pà chūn xiāo

无端嫁得金龟婿,
wú duān jià dé jīn guī xù

辜负香衾事早朝。
gū fù xiāng qīn shì zǎo cháo

译文 因为拥有云母石制成的屏风和无限娇美的妻子,所以京城中寒意虽尽却怨恨春夜短暂。但是因为做了高官,就只好辜负香被而上早朝去服侍君王。

瑶池①

李商隐

瑶池阿母绮窗开，

黄竹②歌声动地哀。

八骏日行三万里，

穆王何事不重来？

注释 ①瑶池：传说中西王母所居之处。②黄竹：地名。

译文 瑶池之上西王母所住的屋中华丽的窗子已经打开，在黄竹那里周穆王所作的哀歌感动天地。八匹骏马每天行走三万里，周穆王因为什么事情牵绊而不再来？

夜雨寄北

李商隐

君问归期未有期，

巴山夜雨涨秋池。

何当①共剪西窗烛，

却话巴山夜雨时。

注释 ①何当：何时。

译文 你问我回家的日子，我却说不清楚，今晚巴山夜雨绵绵，池塘都已涨满。不知何时重新聚首你我共同剪去西窗蜡烛上的烛花，再告诉你今夜的秋雨中我的情思。

lǒng xī xíng
陇西行^①

陈陶 chén táo

shì sǎo xiōng nú bú gù shēn
誓 扫 匈 奴^② 不 顾 身，

wǔ qiān diāo jǐn sàng hú chén
五 千 貂 锦^③ 丧 胡 尘^④。

kě lián wú dìng hé biān gǔ
可 怜 无 定 河^⑤ 边 骨，

yóu shì chūn guī mèng lǐ rén
犹 是 春 闺^⑥ 梦 里 人。

注释 ①陇西行：古代歌曲名。②匈奴：这里借指侵犯边境的异族。③貂锦：用貂皮做的战袍。这里借指将士。④胡尘：即匈奴的地方。⑤无定河：在陕西北部。⑥春闺：这里指年轻少妇。

译文 将士们不怕牺牲，誓死扫除外敌，五千人死于保卫边防的战争中，可怜无定河的白骨，还是他们妻子梦中思念的亲人。

yíng zhōu gē
营州歌

高 适 gāo shì

yíng zhōu shào nián yàn yuán yě hú qiú méng róng liè chéng xià
营 州^① 少 年 厌^② 原 野，狐 裘 蒙 茸 猎 城 下。

lǔ jiǔ qiān zhōng bú zuì rén hú ér shí suì néng qí mǎ
虏 酒^③ 千 钟 不 醉 人，胡 儿^④ 十 岁 能 骑 马。

注释 ①营州：唐代东北重镇，当时为汉人与契丹人杂居之地。②厌：这里有饱经、习惯于的意思。③虏酒：即鲁酒，一种少数民族的酒。④胡儿：对北方少数民族孩子的称呼。

译文 营州少年习惯了原野上的生活，他们穿着毛茸茸的狐裘衣服在城下狩猎。少年饮酒有千杯不醉的海量，胡儿十岁便学会了骑马驰骋野外的本领。

别董大①

bié dǒng dà

高适
gāo shì

千里黄云②白日曛③，
qiān lǐ huáng yún bái rì xūn

北风吹雁雪纷纷。
běi fēng chuī yàn xuě fēn fēn

莫愁前路无知己，
mò chóu qián lù wú zhī jǐ

天下谁人不识君。
tiān xià shuí rén bù shí jūn

注释　①董大：当时的音乐家董庭兰。②黄云：黄沙弥漫如云。③曛：日光昏暗。

译文　千里黄沙迷漫，把白日遮掩得昏昏暗暗；怒吼的北风劲吹，大雁在雪花纷飞的天空中南飞。不要发愁前面的路上没有知心朋友，天下又有谁不认识您？

除夜作

chú yè zuò

高适
gāo shì

旅馆寒灯独不眠，客心何事转凄然①？
lǚ guǎn hán dēng dú bù mián kè xīn hé shì zhuǎn qī rán

故乡今夜思千里，霜鬓②明朝又一年。
gù xiāng jīn yè sī qiān lǐ shuāng bìn míng zhāo yòu yì nián

注释　①凄然：伤心的样子。②霜鬓：两鬓斑白。

译文　除夕的夜晚，独自客居旅馆，在清冷的灯光下，久久不能安眠。因为何事而心境如此？因为今晚故乡的亲人思念千里之外的我。新的一年里，我的两鬓又要增添白发。

塞上闻笛

sài shàng wén dí

高 适
gāo shì

雪净胡天牧马还，
xuě jìng hú tiān mù mǎ huán

月明羌笛戍楼间。
yuè míng qiāng dí shù lóu jiān

借问梅花何处落，
jiè wèn méi huā hé chù luò

风吹一夜满关山。
fēng chuī yí yè mǎn guān shān

译文 冰雪消融，士兵们放牧马群回到营地。月光明亮，笛声在城楼间回荡。你可知这《梅花落》的乐曲会一直传到哪里？寒风吹送，一夜之间就会传遍边关的群山。

小松

xiǎo sōng

杜荀鹤
dù xún hè

自小刺头深草里，
zì xiǎo cì tóu shēn cǎo lǐ

而今渐觉出蓬蒿。
ér jīn jiàn jué chū péng hāo

时人不识凌云木，
shí rén bù shí líng yún mù

直待凌云始道高。
zhí dài líng yún shǐ dào gāo

译文 小松树从小长在深草中，一直不为人所知；现在它从野草里脱颖而出才被人发现。这是因为人们并不能识别参天大树，而要等到它们插入云霄时才知道它的高大。

再经胡城县

zài jīng hú chéng xiàn

杜荀鹤

去岁曾经此县城，
qù suì céng jīng cǐ xiàn chéng

县民无口不冤声。
xiàn mín wú kǒu bù yuān shēng

今来县宰加朱绂，
jīn lái xiàn zǎi jiā zhū fú

便是生灵血染成。
biàn shì shēng líng xuè rǎn chéng

译文 去年，我曾经到过这个胡城县，当时，县里的贫苦百姓们个个怨声不绝。今天我又来到这里，却听说那个县官被朝廷封了大官，看来他是剥削压迫有功了。你看他身上系的红丝带，不就是用老百姓们的血泪染成的吗？

蚕妇

cán fù

杜荀鹤

粉色全无饥色加，
fěn sè quán wú jī sè jiā

岂知人世有荣华！
qǐ zhī rén shì yǒu róng huá

年年道我蚕辛苦，
nián nián dào wǒ cán xīn kǔ

底事①浑身②着苎麻！
dǐ shì hún shēn zhuó zhù má

注释 ①底事：什么事。②浑身：全身。着：穿。

译文 养蚕妇女脸上没有一点脂粉色，蜡黄的脸色一天比一天难看，长年累月在贫困中生活，哪里知道世上还有什么"荣华"。年年都说养蚕辛苦，为什么我们全身上下穿不上自己生产的丝绸衣裳而只能穿这粗麻布衫？

戏问花门①酒家翁

xì wèn huā mén jiǔ jiā wēng

岑参

老人七十仍沽②酒，
lǎo rén qī shí réng gū jiǔ

千壶百瓮花门口。
qiān hú bǎi wèng huā mén kǒu

道旁榆荚③巧似钱，
dào páng yú jiá qiǎo sì qián

摘来沽酒君肯否？
zhāi lái gū jiǔ jūn kěn fǒu

注释 ①花门:酒店门。②沽:卖或买之意。③榆荚:榆树的果实,形状像铜钱。

译文 一位老人年逾七十仍在卖酒,盛酒的千壶百瓮摆在店门口。道旁的榆荚好似一枚枚铜钱在枝头上,我将它摘下买酒,你肯卖吗?

行军①九日②思长安故园

xíng jūn jiǔ rì sī cháng ān gù yuán

岑参

强欲登高去，无人送酒来。
qiáng yù dēng gāo qù wú rén sòng jiǔ lái

遥怜故园菊，应傍战场开。
yáo lián gù yuán jú yīng bàng zhàn chǎng kāi

注释 ①行军:指随军队出行。②九日:农历九月九日,民间习俗,当天要登山、喝雄黄酒避邪。

译文 今天是九月九日重阳节,我也很想和一般人一样,结伴去登山、饮酒作乐,可是我随部队行军到此,还有谁会送酒来给我喝呢?想到远在故乡的菊花园,此时一定开满了菊花。只是家乡已经陷入战火中,这些高雅的菊花,即使开得再灿烂也没人欣赏,只能任人践踏罢了。

西过渭州①见渭水思秦川

岑参

渭水东流去，
何时到雍州②？
凭添两行泪，
寄向故园流。

注释 ①渭州：在今甘肃陇西县一带。②雍州：指长安。

译文 渭水一直向东流去，什么时候才能流到雍州？我流下两行热泪，滴入渭水之中，让它随同渭水一同流向故乡。

碛①中作

岑参

走马②西来欲到天，
辞家见月两回圆。
今夜未知何处宿，
平沙万里绝人烟。

注释 ①碛：沙漠。②走马：跑马。

译文 骑着飞奔的骏马西行，都快要跑到天边了，还未到目的地。离家已有两个月了，今晚还不知在哪儿寄宿；眼前，仍然是万里茫茫的沙漠，渺无人烟！

咏 风
_{yǒng fēng}

虞世南 _{yú shì nán}

逐^①舞飘轻袖^②，
_{zhú wǔ piāo qīng xiù}

传歌共^③绕梁^④。
_{chuán gē gòng rào liáng}

动枝生乱影，
_{dòng zhī shēng luàn yǐng}

吹花送远香。
_{chuī huā sòng yuǎn xiāng}

注释 ①逐：追逐，跟随。②轻袖：轻盈，细薄的衣袖。③共：同"供"，使得。④绕梁：萦绕屋梁。

译文 风，飘动追逐着舞起人的轻薄衣袖，传送着阵阵美妙歌声，萦绕屋梁不绝于耳。风，摇动着枝叶，使枝影零乱；吹拂着鲜花，送来远方的异香。

早 秋
_{zǎo qiū}

许浑 _{xǔ hún}

遥夜^①泛^②清瑟，西风生翠萝。
_{yáo yè fàn qīng sè xī fēng shēng cuì luó}

残萤栖玉露，早雁拂金河^③。
_{cán yíng qī yù lù zǎo yàn fú jīn hé}

高树晓还密，远山晴更多。
_{gāo shù xiǎo hái mì yuǎn shān qíng gèng duō}

淮南一叶下，自觉洞庭波。
_{huái nán yí yè xià zì jué dòng tíng bō}

注释 ①遥夜：长夜。②泛：拨奏。③金河：秋季的银河。

译文 长夜传来悠扬的琴瑟声，西风起吹拂依依青萝。沾满秋露的野草栖留着残萤，早飞的鸿雁掠过了银河。高高的树木在晨雾中显得更加浓密，远山在晴日的朗照下显得清晰繁多。见到秋风吹下一片落叶，我仿佛感到万顷洞庭秋波。

咸阳城西楼晚眺①

许浑

一上高城万里愁，

蒹葭②杨柳似汀洲③。

溪云初起日沉阁，

山雨欲来风满楼。

注释 ①眺：向远处望。②蒹葭：芦苇。③汀洲：水中的沙洲。

译文 我登上高高的城楼远望，引起无边的思乡之愁。城下芦苇和杨柳郁郁葱葱，真像我的老家江南的沙洲。溪水边乌云乍起，夕阳沉落到楼阁的后面去了，山雨就要来临，狂风已吹遍了整个城楼。

秋日赴阙①题潼关驿楼

许浑

红叶晚萧萧，长亭酒一瓢。

残云归太华②，疏雨过中条③。

树色随山迥，河声入海遥。

帝乡明日到，犹自梦渔樵。

注释 ①阙：指长安。②太华：华山。③中条：山名，在今山西永济县。

译文 晚风吹拂枫叶飒飒作响，长亭送别狂饮醇酒一瓢。几片残云移向黑黝黝的华山，稀疏的秋雨越过了中条山。树色随着山势向远方延展，黄河入海伴着震天的咆哮。京城明日就可到达，但我还在梦着那些渔樵的生活。

寒食

韩翃 hán hóng

chūn chéng wú chù bù fēi huā　hán shí　dōng fēng yù liǔ xiá
春城无处不飞花，寒食①东风御柳斜。

rì mù hàn gōng chuán là zhú　qīng yān sàn rù wǔ hóu jiā
日暮汉宫传蜡烛，轻烟散入五侯家。

注释　①寒食：清明节前一两天。这一天的风俗是禁火。

译文　春天的京城到处飞舞着杨花柳絮，寒食节皇宫的杨柳也在春风中摇摆。傍晚时分，皇宫派人赏赐蜡烛，蜡烛燃烧的袅袅轻烟升起在豪门权贵之家。

台城①

韦庄 wéi zhuāng

jiāng yǔ fēi fēi jiāng cǎo qí
江雨霏霏②江草齐，

liù cháo rú mèng niǎo kōng tí
六朝③如梦鸟空啼。

wú qíng zuì shì tái chéng liǔ
无情最是台城柳，

yī jiù yān lǒng shí lǐ dī
依旧烟笼④十里堤。

注释　①台城：古代建康宫旧址，在今南京市玄武湖边。②霏霏：雨下得细而密的样子。③六朝：指吴、东晋、宋、齐、梁、陈六个朝代，均建都在建康。④烟笼：柳烟笼罩。

译文　江面上的细雨蒙蒙，江边上长满了丰盛的花草，六朝像梦一般过去了，只有那鸟儿还在悲凄地鸣叫着。最无情的还是当年宫城外的杨柳，仍然像以前那样，烟霭迷蒙，笼罩着十里长堤。

山中留客

shānzhōng liú kè

张旭 zhāng xù

山光①物态②弄春晖③，
莫为轻阴④便拟⑤归。
纵使⑥晴明无雨色，
入云深处亦沾衣⑦。

注释 ①山光：山中的风光。②物态：物的姿态。③春晖：春天的阳光。④轻阴：微阴。⑤拟：打算，准备。⑥纵使：即使。⑦沾衣：水汽打湿衣服。

译文 山的容光和物的情态，都沐浴在明媚的春天阳光下。不要因为天有阴天微暗就急着回家；即使是天气晴朗阳光明媚，走入烟雾缭绕的密林深处也会沾湿你的衣服。

春 庄①

chūn zhuāng

王勃 wáng bó

山中兰叶径②，城外桃李园。
岂知人事静，不觉鸟声喧。

注释 ①春庄：庄，即庄园，收租的场所，也作别墅用；庄园的春天。②兰叶径：兰，多年生草本植物；被兰叶遮掩的小路。

译文 山中小路边长着茂盛的春兰，出城不远就到桃李芬芳的庄园。面对这春光不愿过问人间俗事，也感觉不到鸟叫声的喧闹。

春　游

wáng bó
王　勃

kè niàn fēn wú jí
客念①纷无极②，

chūn lèi bèi chéng háng
春泪倍成行。

jīn zhāo huā shù xià
今朝花树下，

bù jué liàn nián guāng
不觉恋年光③。

注释　①客念：作客他乡时的思绪。②纷无极：纷纷杂乱，无边无际。③年光：年岁，时光。

译文　作客他乡时思乡的情绪杂乱而没有边际，使伤春的泪水滴落得更多。现在站在这繁花似锦的树下，不由得慨叹年华易逝，怀念起过去的时光。

寒夜思友

wáng bó
王　勃

zhāo zhāo cuì shān xià
朝朝翠山下，

yè yè cāng jiāng qǔ
夜夜苍江曲。

fù cǐ yáo xiāng sī
复此遥相思，

qīng zūn zhàn fāng lù
清尊湛芳绿。

译文　每天居住在青山之下，夜夜听着苍江水曲折流动的声音。对着这单调的景物我对你更加思念，但陪伴我的却只有杯中那盈盈的酒浆。

续父井梧吟

xù fù jǐng wú yín

薛 涛
xuē tāo

庭除①一古桐，
tíng chú yì gǔ tóng

耸干②入云中。
sǒng gàn rù yún zhōng

枝迎南北鸟，
zhī yíng nán běi niǎo

叶送往来风。
yè sòng wǎng lái fēng

注释 ①庭除:庭院。②耸干:高耸挺拔的枝干。

译文 庭院中一株苍老的梧桐树,高耸的树干,直插云中。枝干迎接着南来北往的鸟儿,叶子迎送着往来的风。

陈情上韦令公

chén qíng shàng wéi lìng gōng

薛 涛
xuē tāo

闻说边城苦，
wén shuō biān chéng kǔ

今来到始知。
jīn lái dào shǐ zhī

羞将筵上曲，
xiū jiāng yán shàng qǔ

唱与陇头儿①。
chàng yǔ lǒng tóu ér

注释 ①陇头儿:指边疆战士。

译文 曾经听说这边疆的生活很苦,如今到了边疆才亲身体会到。我难以启口将过去在贵族宴席上唱的歌曲,唱给驻守在边疆的军士们听。

在狱咏蝉

zài yù yǒng chán

luò bīn wáng
骆宾王

西陆①蝉声唱，南冠②客思深。
xī lù chán shēng chàng nán guān kè sī shēn

那堪玄鬓③影，来对白头吟。
nà kān xuán bìn yǐng lái duì bái tóu yín

露重飞难进，风多响易沉。
lù zhòng fēi nán jìn fēng duō xiǎng yì chén

无人信高洁，谁为表予心？
wú rén xìn gāo jié shuí wèi biǎo yú xīn

注释 ①西陆:指秋天。②南冠:指囚犯。③玄鬓:黑发。这里指蝉。

译文 我在秋天狱中听着蝉鸣，不由生起思乡之情。这黑蝉儿的鸣叫，让我这个白发的囚徒如何忍受。露重重，它有翅难飞;秋风太猛，它的鸣唱也变得低沉。无人相信我和它一样高洁，谁又能为我辩白冤屈?

易水①送别

yì shuǐ sòng bié

luò bīn wáng
骆宾王

此地别燕丹②，壮士发冲冠。
cǐ dì bié yān dān zhuàng shì fà chōng guān

昔时人已没③，今日水犹④寒。
xī shí rén yǐ mò jīn rì shuǐ yóu hán

注释 ①易水:河流名,在今河北省易县,是当年荆轲去刺杀秦始皇时与燕国太子丹分别的地方。②燕丹:燕,即燕国;丹,即太子丹。③没:死。④犹:还。

译文 在这里,荆轲告别了燕国太子丹,当时去刺杀秦王的壮士荆轲怒发冲冠。昔日的荆轲已经为宏图大业捐躯,今日唯有易水令人心寒。

chūn guī sī
春闺思

zhāng zhòng sù
张仲素

niǎo niǎo chéng biān liǔ
袅袅城边柳，

qīng qīng mò shàng sāng
青青陌上桑。

tí lóng wàng cǎi yè
提笼忘采叶，

zuó yè mèng yú yáng
昨夜梦渔阳。

译文 城边袅袅的杨柳随风拂动，田间青青的桑树绿叶茂盛。提着竹篮采桑的少妇却忘了采摘桑叶，只因想起昨夜梦游渔阳见到戍边丈夫时的情景。

chūn sī
春思

jiǎ zhì
贾至

cǎo sè qīng qīng liǔ sè huáng
草色青青柳色黄，

táo huā lì luàn① lǐ huā xiāng
桃花历乱①李花香。

dōng fēng bú wèi chuī chóu qù
东风不为吹愁去，

chūn rì piān néng rě hèn cháng
春日偏能惹恨长。

注释 ①历乱：茂盛。

译文 小草嫩绿柳芽儿嫩黄，桃花茂盛李花飘香。春风吹不去我心中的哀愁，春光又将这愁绪牵扯得更深更长。

感 遇(其一)

gǎn yù (qí yī)

张九龄 zhāng jiǔ líng

兰叶春葳蕤①，桂华②秋皎洁。
lán yè chūn wēi ruí　guì huá qiū jiǎo jié

欣欣此生意，自尔为佳节。
xīn xīn cǐ shēng yì　zì ěr wèi jiā jié

谁知林栖者，闻风坐③相悦。
shuí zhī lín qī zhě　wén fēng zuò xiāng yuè

草木有本心④，何求美人折？
cǎo mù yǒu běn xīn　hé qiú měi rén zhé

注释　①葳蕤：枝叶茂盛的样子。②华：同"花"。③坐：因而。④本心：本性，天性。

译文　兰叶在春风中繁盛鲜美，桂花到了秋天就清新皎洁。葱郁茂盛生机勃勃，各自有生长旺盛的最好季节。谁能知道那林间的隐者，沐浴香风而心旷神怡。草木有着自然的本性，哪里需要美人来采折回去！

照镜见白发

zhào jìng jiàn bái fà

张九龄 zhāng jiǔ líng

宿昔①青云志②，蹉跎③白发年。
sù xī qīng yún zhì　cuō tuó bái fà nián

谁知明镜里，形影④自相怜。
shuí zhī míng jìng lǐ　xíng yǐng zì xiāng lián

注释　①宿昔：从前，往日。②青云志：远大志向。③蹉跎：光阴白白的过去。④形影：形体和影子。

译文　昔日曾怀有豪情壮志，随着岁月流逝，现在已是白发苍苍。如今谁知道在明亮的镜子里，我的形体和影子相互怜惜的心情呢？

湖口望庐山瀑布水
hú kǒu wàng lú shān pù bù shuǐ

张九龄 zhāng jiǔ líng

万丈红泉①落，迢迢②半紫氛③。
wàn zhàng hóng quán luò tiáo tiáo bàn zǐ fēn

奔流下杂树，洒落出重云。
bēn liú xià zá shù sǎ luò chū chóng yún

日照虹霓④似，天清风雨闻。
rì zhào hóng ní sì tiān qīng fēng yǔ wén

灵山⑤多秀色，空水共氤氲⑥。
líng shān duō xiù sè kōng shuǐ gòng yīn yūn

注释 ①红泉：阳光照耀下显出红彩的瀑布。②迢迢：形容瀑布的长。③紫氛：紫色的雾气。④虹霓：阳光透过空气中的水珠而显现出的彩虹。⑤灵山：仙山，这里指庐山。⑥氤氲：指瀑布，水汽弥漫四散的景象。

译文 万丈瀑布飞流直下仿佛从天上落下，弥漫着半红半紫的绵绵雾气。它穿过峭壁杂生的丛林，穿过叠叠重云洒落下来。太阳照射上去，犹如七彩霓虹，天气虽然晴朗，却似乎听到了风雨的声响。庐山呀，你多么秀美，烟云与水气同你相互交融。

答陆澧
dá lù lǐ

朱放 zhū fàng

松叶堪为酒，春来酿几多。
sōng yè kān wéi jiǔ chūn lái niàng jǐ duō

不辞山路远，踏雪也相过。
bù cí shān lù yuǎn tà xuě yě xiāng guò

译文 这满山苍翠的松叶都可以酿出美酒，不知道春天以来你酿出了多少。我不怕山路遥远崎岖，即使踏着冰雪也要去把你探望。

蜀道后期

shǔ dào hòu qī

张说 zhāng yuè

客心争日月，
kè xīn zhēng rì yuè

来往预期程。
lái wǎng yù qī chéng

秋风不相待，
qiū fēng bù xiāng dài

先至洛阳城。
xiān zhì luò yáng chéng

译文 我在客居异乡时，同时间展开一场争夺战，预计秋天之前办完公差可以返回洛阳。不料事情突变，无情的秋风不肯等我，先回洛阳城去了。

幽州夜饮

yōu zhōu yè yǐn

张说 zhāng yuè

凉风吹夜雨，萧瑟①动寒林。
liáng fēng chuī yè yǔ   xiāo sè   dòng hán lín

正有高堂宴，能忘迟暮心。
zhèng yǒu gāo táng yàn   néng wàng chí mù xīn

军中宜剑舞，塞上重笳②音。
jūn zhōng yí jiàn wǔ   sài shàng zhòng jiā yīn

不作边城将，谁知恩遇深？
bú zuò biān chéng jiàng   shuí zhī ēn yù shēn

注释 ①萧瑟：形容风吹树木的声音。②笳：胡笳，古代北方民族的一种乐器。

译文 寒冷的夜风夹着冰凉的夜雨，被吹动的树林声音萧瑟。在高大的厅堂里正举行宴会，怎能忘怀老将的壮志雄心？军营里最适于舞剑，边塞上更喜欢听胡笳的声音。如果不做这守边的将士，怎能体会到皇帝的恩情呢？

闺怨

guī yuàn

沈如筠 shěn rú jūn

雁尽书难寄，愁多梦不成。
yàn jìn shū nán jì chóu duō mèng bù chéng

愿随孤月影，流照伏波营。
yuàn suí gū yuè yǐng liú zhào fú bō yíng

译文 南下越冬的大雁都飞走了，倾诉深情的书信难以传寄，忧愁一多，就连思念的梦也做不成了。我愿追随着月光，洒泻到边疆军营中丈夫的身上。

次①北固山②下

cì běi gù shān xià

王湾 wáng wān

客路③青山外，行舟绿水前。
kè lù qīng shān wài xíng zhōu lù shuǐ qián

潮平④两岸阔，风正一帆悬。
cháo píng liǎng àn kuò fēng zhèng yì fān xuán

海⑤日生残夜⑥，江春入旧年。
hǎi rì shēng cán yè jiāng chūn rù jiù nián

乡书何处达？归雁洛阳边。
xiāng shū hé chù dá guī yàn luò yáng biān

注释 ①次：停留，住宿，这里指停泊船。②北固山：在今江苏省镇江市。③客路：旅途。④平：指潮水上涨与江岸相平。⑤海：指长江下游宽阔的江面。⑥残夜：剩下的夜晚，指天将亮的时候。

译文 要去的地方还远在北固山外，客船行驶在长江的碧水之上。潮水上涨与江岸相平感觉视野开阔，顺风东下而一帆高悬。宽阔的江面上残夜未尽，太阳就露出了笑脸，旧年未过，江南已进入春天。寄回家乡的书信寄到哪里？托北归的大雁带到洛阳去吧。

巴女谣

bā nǚ yáo

于鹄 yú hú

bā nǚ qí niú chàng zhú zhī
巴女骑牛唱竹枝①，

ǒu sī líng yè bàng jiāng shí
藕丝②菱叶傍江时。

bù chóu rì mù huán jiā cuò
不愁日暮还家错，

jì dé bā jiāo chū jǐn lí
记得芭蕉出槿篱③。

注释 ①竹枝：竹枝词，巴渝一带民歌。②藕丝：指荷叶荷花。③槿篱：环植木槿而成的篱笆。

译文 巴江水面，荷花竞放，菱叶铺展，放牛的小女孩骑在牛背上哼着乡间小曲，沿着江边慢慢走。不担心日落天黑找错了家门，她记得自家院里有棵芭蕉探出木槿篱笆。

送郭司仓①

sòng guō sī cāng

王昌龄 wáng chāng líng

yìng mén huái shuǐ lǜ liú jì zhǔ rén xīn
映门淮水②绿，留骑③主人心。

míng yuè suí liáng yuàn chūn cháo yè yè shēn
明月随良掾④，春潮夜夜深。

注释 ①司仓：古代官名，掌管粮食的官吏。②淮水：即淮河。③留骑：骑，原指坐骑。留骑意为要挽留对方。④良掾：好的官吏。

译文 碧绿的淮水在明亮的月光照耀下，反映在门扉上面，我挽留郭司仓只是略尽地主之谊罢了。到了分手时，明亮的月光随着这个好官员的船舶逐渐远离。虽然他离开了，但淮河的春潮依旧夜复一夜地滔滔不绝，就如同我们深厚的友谊一般恒久不变。

cóng jūn xíng
从军①行②(其二) qí èr

wáng chāng líng
王昌龄

pí pá qǐ wǔ huàn xīn shēng
琵琶起舞换新声，

zǒng shì guān shān jiù bié qíng
总是关山③旧别情。

liáo luàn biān chóu tīng bú jìn
撩乱边愁④听不尽，

gāo gāo qiū yuè zhào chángchéng
高高秋月照长城。

注释 ①从军：参军。②行：古代歌曲的一种体裁。③关山：边塞，这里指守边的人。④边愁：守卫边疆的愁苦。

译文 随着舞蹈的不断翻新，琵琶又奏出新的曲调。然而不管曲调舞蹈如何翻新，它总是诉说守边将士的那些离愁别情，听不尽的曲调扰得人心烦意乱。徘徊回望，只见一轮秋月清冷的光辉高高照耀着万里长城。

cóng jūn xíng
从军行(其五) qí wǔ

wáng chāng líng
王昌龄

dà mò fēng chén rì sè hūn
大漠风尘日色昏，

hóng qí bàn juǎn chū yuán mén
红旗半卷出辕门。

qián jūn yè zhàn táo hé běi
前军夜战洮河北，

yǐ bào shēng qín tǔ yù hún
已报生擒吐谷浑。

译文 茫茫的大沙漠上风尘翻滚，日色为之昏暗，劲风吹动着战旗，将士们离营出征。前面的军队在洮河以北与敌人进行夜战，传来捷报已经活捉了敌军首领。

长信怨
cháng xìn yuàn

王昌龄 wángchāng líng

奉帚①平明金殿开，
fèng zhǒu　píng míng jīn diàn kāi

暂将团扇共徘徊。
zàn jiāng tuán shàn gòng pái huái

玉颜不及寒鸦色，
yù yán bù jí hán yā sè

犹带昭阳②日影来。
yóu dài zhāo yáng　rì yǐng lái

注释　①奉帚：拿着扫帚洒扫的人。②昭阳：汉朝宫名，这里借指唐朝的宫殿。

译文　拿着扫帚打扫庭院的人在天亮将金殿门打开，宫女手摇团扇在宫内徘徊。虽然有好的容颜反而不能常承恩宠，与寒鸦相比，寒鸦尚且带着昭阳宫朝见君主的喜色，伴着日影归来。

送柴侍御
sòng chái shì yù

王昌龄 wángchāng líng

流水通波①接武冈，
liú shuǐ tōng bō　jiē wǔ gāng

送君不觉有离伤。
sòng jūn bù jué yǒu lí shāng

青山一道同云雨，
qīng shān yí dào tóng yún yǔ

明月何曾是两乡。
míng yuè hé céng shì liǎng xiāng

注释　①通波：指水路相通。

译文　河水里的波浪连接着武冈，为你送行不觉得有离别的伤感。两地青山绵延不断，拥有共同的云雨，你我共睹一轮明月怎么会是在两个地方呢？

jǐ hài suì gǎn shì
己亥岁感事

cáo sōng
曹松

zé guó   jiāng shān rù zhàn tú
泽国①江山入战图②，

shēng mín   hé jì lè qiáo sū
生民③何计乐樵苏④。

píng jūn mò huà fēng hóu shì
凭君莫话封侯事，

yí jiàng gōng chéng wàn gǔ kū
一将功成万骨枯。

注释 ①泽国:指江南水网地带。②战图:作战地区。③生民:老百姓。④乐樵苏:樵,打柴;苏,割草;意为安居乐业。

译文 战火燃至江南一带,百姓无法安居乐业。请你不要谈论封官晋爵的事,可知道一将立下战功,就会有万人变成枯骨!

tí yuán shì bié yè
题袁氏别业①

hè zhī zhāng
贺知章

zhǔ rén bù xiāng shí   ǒu zuò wèi lín quán
主人不相识，偶坐为林泉。

mò màn chóu gū   jiǔ   náng zhōng zì yǒu qián
莫谩愁沽②酒，囊中自有钱。

注释 ①别业:不是主要的居住地,就像今天我们所说的别墅。②沽:在此指买的意思。

译文 我和袁氏别业的主人并不认识,偶尔会来此闲坐,为的是这儿的山林与泉水。如果主人有意邀我在这里把酒言欢,不必担心没有钱买酒,因为我口袋中早已准备好买酒的钱了。

回乡偶书

huí xiāng ǒu shū

hè zhī zhāng
贺知章

shào xiǎo lí jiā lǎo dà huí
少小离家老大回，

xiāng yīn wú gǎi bìn máo cuī
乡音无改鬓毛衰①。

ér tóng xiāng jiàn bù xiāng shí
儿童相见不相识，

xiào wèn kè cóng hé chù lái
笑问客从何处来。

注释 ①衰：疏落，指头发白了，少了。

译文 很小的时候离开家乡直到老了才回来，虽然口音没有改变，但鬓发已经疏落斑白。村里的孩子们见到我都不认识，他们围着我，笑着问我是从什么地方来的客人。

题诗后①

tí shī hòu

jiǎ dǎo
贾 岛

èr jù sān nián dé
二句三年得，

yì yín shuāng lèi liú
一吟②双泪流。

zhī yīn rú bù shǎng
知音如不赏③，

guī wò gù shān qiū
归卧故山秋。

注释 ①题诗后：写在一首诗后面的文字。②吟：读，诵。③赏：欣赏。

译文 我反复琢磨三年才写出两句诗，一读两行热泪就不禁流下来。如果好朋友不欣赏，我只有回到从前住过的山里，在萧瑟的秋风中睡觉去。

题李凝幽居
tí lǐ níng yōu jū

贾岛 jiǎ dǎo

xián jū shǎo lín bìng cǎo jìng rù huāngyuán
闲居少邻并①,草径入荒园。

niǎo sù chí biān shù sēng qiāo yuè xià mén
鸟宿池边树,僧敲月下门。

guò qiáo fēn yě sè yí shí dòng yún gēn
过桥分野色,移石动云根②。

zàn qù hái lái cǐ yōu qī bú fù yán
暂去还来此,幽期不负言。

注释 ①邻并:邻居。②云根:古人认为云生在山面石上,云为"云根"。

译文 隐居的地方周围没有邻居,一条长满杂草的小路通向荒芜的庭园,鸟儿栖息在池塘边的树上,月夜归寺的僧人在敲寺门。走过桥是色彩斑斓的原野景色,晚风吹动,云脚飘移,好像山石在移动。我暂时离开这里,但不久还会再来,决不负共同归隐的约期。

剑客
jiàn kè

贾岛 jiǎ dǎo

shí nián mó yí jiàn
十年磨一剑,

shuāng rèn wèi céng shì
霜刃①未曾试。

jīn rì bǎ shì jūn
今日把示②君③,

shuí yǒu bù píng shì
谁有不平事?

注释 ①霜刃:发着寒光的剑刃。②把示:展示。③君:指朋友。

译文 用去十年功夫磨造一把宝剑,发着寒光的剑刃却没有试过它的锋芒。现在把它拿出来给朋友看看,请问谁有什么不平的事?

jiāng xíng wú tí
江行无题

_{qián} _{yǔ}
钱 珝

wàn mù yǐ qīng shuāng
万 木 已 清 霜，

jiāng biān cūn shì máng
江 边 村 事 忙。

gù xī huáng dào shú
故 溪 黄 稻 熟，

yí yè mèng zhōng xiāng
一 夜 梦 中 香。

译文 秋天，各种树木都蒙上了一层淡淡的清霜，江边的人们都在忙着自己的农家事务。此时此刻，我的家乡也早已到了黄稻成熟的季节了吧！昨天夜晚，我在梦中也闻到了家乡稻谷的香味呢！

chūn wǎn shū shān jiā wū bì
春晚书山家屋壁

_{guàn} _{xiū}
贯 休

chái mén jì jì shǔ fàn xīn
柴 门 寂 寂 黍 饭 馨①，

shān jiā yān huǒ chūn yǔ qíng
山 家 烟 火 春 雨 晴。

tíng huā méng méng shuǐ líng líng
庭 花 蒙 蒙② 水 泠 泠③，

xiǎo ér tí suǒ shù shàng yīng
小 儿 啼④ 索⑤ 树 上 莺。

注释 ①馨：香。②蒙蒙：形容雨点的细小。③泠泠：流水声。④啼：啼哭。⑤索：索要。

译文 山村农户柴门寂静无声，黄米饭飘香；春雨后，山村炊烟袅袅冉冉上升。庭院里的花笼在迷蒙的水汽中，溪水在泠泠流淌；一个小孩哭叫要树上啼叫的黄莺鸟。

瀑 布
pù bù

施肩吾
shī jiān wú

豁开青冥①颠②，
huò kāi qīng míng diān

泻出万丈泉。
xiè chū wàn zhàng quán

如裁一条素③，
rú cái yì tiáo sù

白日悬秋天。
bái rì xuán qiū tiān

注释 ①青冥：青天。②颠：顶部。③素：未染色的丝绸。

译文 青天的顶部已被割开，泉水从万丈高空倾泻而下。这泻下的泉水像一条裁好的白绢，和太阳一起挂在秋天的晴空中。

岭上逢久别者又别
lǐng shàng féng jiǔ bié zhě yòu bié

权德舆
quán dé yú

十年曾一别，
shí nián céng yì bié

征路此相逢。
zhēng lù cǐ xiāng féng

马首①向何处，
mǎ shǒu xiàng hé chù

夕阳千万峰。
xī yáng qiān wàn fēng

注释 ①马首：马头。马头所向，即骑马的人所去的方向。

译文 分别已有十年，今天在征路上偶然重逢。可马头又要转向别处，此时夕阳正斜照着千山万峰，前路漫漫。

春行寄兴

chūn xíng jì xìng

李华

宜阳城下草萋萋①，
yí yáng chéng xià cǎo qī qī

涧水②东流复③向西。
jiàn shuǐ dōng liú fù xiàng xī

芳树无人花自落，
fāng shù wú rén huā zì luò

春山一路鸟空啼。
chūn shān yí lù niǎo kōng tí

注释 ①萋萋：形容草茂盛的样子。②涧水：涧，山沟。山沟中的水。③复：又。

译文 宜阳城下芳草长得十分茂盛，山涧流水向东而后又转向西。满树香花无人欣赏而独自零落，一路上春山间的鸟儿孤独地啼鸣。

送灵澈上人①

sòng líng chè shàng rén

刘长卿

苍苍②竹林寺③，杳杳④钟声晚。
cāng cāng zhú lín sì   yǎo yǎo zhōng shēng wǎn

荷⑤笠带夕阳，青山独归远。
hè lì dài xī yáng   qīng shān dú guī yuǎn

注释 ①灵澈上人：中唐时期一位著名诗僧，俗姓杨，字源澄，会稽（今浙江绍兴）人。②苍苍：苍茫的暮色。③竹林寺：在今江苏省镇江市南。④杳杳：幽深遥远。⑤荷：背着。

译文 苍翠的竹林掩映着古寺，从遥远的古寺传来幽幽的钟声。灵澈禅师背着斗笠披着晚霞，独自归向渺渺无际的深山中。

送李判官之①润州②行营③

刘长卿

万里辞家事鼓鼙④,
金陵驿路⑤楚⑥云西。
江春不肯留行客,
草色青青送马蹄。

注释 ①之:往。②润州:在今江苏镇江。③行营:主将出征驻扎之地。④鼙:古代军中用的一种小鼓。⑤驿路:古代的官道。⑥楚:古代楚国,主要包括湖北和湖南北部。

译文 辞别家乡到遥远的军营去,在通往金陵的驿路上云朵飘向西方。江边宜人的春色留不住你这个远行的人,那青青春草好像也在为你送行。

送上人

刘长卿

孤云将①野鹤,岂向人间住。
莫买沃洲山②,时人已知处。

注释 ①将:此处是送行的意思。②沃洲山:山名,道教认为仙人们居住在七十二个福地,沃洲山即是这七十二福地之一。

译文 一朵孤云护送着悠然飞去的野鹤,野鹤已超凡脱俗,岂能选择繁杂喧嚣的尘世间居住? 所以,我认为你还是不要在沃洲山买地,因为时下人人都已知道那个地方,不久一定又将变得人声嘈杂。

马 诗 _{mǎ shī}

李贺

大漠沙如雪，
yān shān yuè sì gōu
燕山月似钩。
hé dāng jīn luò nǎo
何当金络脑①，
kuài zǒu tà qīng qiū
快走踏清秋。

注释 ①络脑：笼头。

译文 塞外大沙漠里黄沙在月光映照下像是铺了一层白雪，燕山山岭上弯弯的月亮像弯钩一样挂在天空。什么时候才能给马戴上华贵的金笼头，让它在秋高气爽的疆场上驰骋。

淮上渔者 _{huái shàng yú zhě}

郑谷

bái tóu bō shàng bái tóu wēng
白头波上白头翁，
jiā zhú chuán yí pǔ pǔ fēng
家逐①船移浦②浦风。
yì chǐ lú yú xīn diào dé
一尺鲈鱼新钓得，
ér sūn chuī huǒ dí huā zhōng
儿孙吹火荻③花中。

注释 ①逐：跟随。②浦：水边，岸边。③荻：一种形状像芦苇的草本植物。

译文 江中白浪上有一位白发老人，船行哪里家也就移到哪里。江边到处刮着风，老人刚刚钓上来一尺长的鲈鱼，儿孙们连忙吹火准备煮鱼，忙碌在荻花中。

江南曲

jiāng nán qǔ

李益

jià dé qú táng gǔ　　　　zhāo zhāo wù qiè qī
嫁得瞿塘贾①，朝朝误妾期②。

zǎo zhī cháo yǒu xìn　　 jià yǔ nòng cháo ér
早知潮有信③，嫁与弄潮儿④。

注释 ①贾：商人。②误妾期：妾，古代妇女对自己的谦称。耽误了妾与丈夫讲好了的归期。③潮有信：潮水的涨落有固定的时间。④弄潮儿：熟悉水性弄潮戏水的人。

译文 自从我嫁给瞿塘的商人，他常常耽误与我讲好的回乡日期。早知道潮水涨落从不失信，还不如嫁给弄潮的人。

喜见外弟①又言别

xǐ jiàn wài dì　 yòu yán bié

李益

shí nián lí luàn hòu　　 zhǎng dà yī xiāng féng
十年离乱后，长大一相逢。

wèn xìng jīng chū jiàn　 chēng míng yì jiù róng
问姓惊初见，称名忆旧容。

bié lái cāng hǎi shì　　 yǔ bà mù tiān zhōng
别来沧海事，语罢暮天钟。

míng rì bā líng dào　　 qiū shān yòu jǐ chóng
明日巴陵②道，秋山又几重。

注释 ①外弟：姑母的儿子，即表弟。②巴陵：唐郡名，在今湖南省岳阳市。

译文 经过十年的乱离之后，都长大的我们在异地相逢。问你的姓氏时好像是初见的朋友，等你道出名字后忽然想起你少年的容颜。分别以来世事多变故，长谈中不知不觉已敲响了暮钟。明天你要踏上巴陵古道，我们不知又要隔几重秋山。

shān tíng xià rì
山亭夏日

高骈

lǜ shù yīn nóng xià rì cháng
绿树阴浓夏日长，

lóu tái dào yǐng rù chí táng
楼台倒影入池塘。

shuǐ jīng lián dòng wēi fēng qǐ
水精帘动微风起，

mǎn jià qiáng wēi yí yuàn xiāng
满架蔷薇一院香。

译文 绿树的树荫越来越浓，夏日里白昼越来越长，楼台的倒影映在池塘中，微风轻轻吹动水晶帘泛起道道波纹，蔷薇花开满棚架，带来满院的清香。

fēng qiáo yè bó
枫桥①夜泊

张继

yuè luò wū tí shuāng mǎn tiān
月落乌啼霜满天，

jiāng fēng yú huǒ duì chóu mián
江枫②渔火③对愁眠。

gū sū chéng wài hán shān sì
姑苏④城外寒山寺⑤，

yè bàn zhōng shēng dào kè chuán
夜半钟声⑥到客船。

注释 ①枫桥：在今江苏苏州市西郊。②江枫：江边的枫树。③渔火：渔船上的灯火。④姑苏：苏州的别称。⑤寒山寺：在枫桥的东边。⑥夜半钟声：唐代寺院有夜半撞钟的习惯。

译文 月儿西落，乌鸦在挂着的秋霜的山林中啼鸣，寒霜满天；江边的渔火映红了枫树，思乡的愁绪油然而生，使我难以入睡。半夜里姑苏城外寒山寺沉闷的钟声划破寂静的夜空，悠悠地飘进了我乘坐的客船中。

mù tóng
牧 童

刘 驾

mù tóng jiàn kè bài
牧童见客拜，

shān guǒ huái zhōng luò
山果怀中落。

zhòu rì qū niú guī
昼日驱牛归，

qián xī fēng yǔ è
前溪风雨恶。

译文 放牧的孩子看见客人连忙行礼，不料从怀里掉下一个山果。客人问他为什么白天赶着牛儿回来，他却说是因为前面的小溪被大雨狂风刮得实在可怕。

jīng xuě
惊 雪

陆 畅

guài dé běi fēng jí
怪得北风急，

qián tíng rú yuè huī
前庭如月晖。

tiān rén nìng xǔ qiǎo
天人宁许巧，

jiǎn shuǐ zuò huā fēi
剪水作花飞。

译文 西北风一阵紧似一阵地吹着，漫天大雪使屋前的院子里像月光照射一样洁白。天上的神仙怎么会如此灵巧，竟把水剪成花瓣，抛撒在空中，使天地间成为银白色的一片。

南 池
nán chí

李 郢

小 男 供 饵 妇 搓 丝 ，
xiǎo nán gōng ěr fù cuō sī

溢 榼① 香 醪② 倒 接③ 醨④ 。
yì kē xiāng láo dào jiē lí

日 出 两 竿 鱼 正 食 ，
rì chū liǎng gān yú zhèng shí

一 家 欢 笑 在 南 池 。
yì jiā huān xiào zài nán chí

注释 ①榼：古代盛酒的器具。②香醪：美酒。③接：古代的一种头巾。④醨：薄酒。

译文 小男孩在准备鱼饵，妈妈在搓着钓鱼的丝线；盛满酒的壶里散发出阵阵酒香，爸爸反系着头巾，边品酒边垂钓。太阳升至两竿，正是鱼儿吃食的好时候；鱼儿不断地上钩，全家人围坐在南池边不时发出欢笑声。

边 词
biān cí

张 敬 忠
zhāng jìng zhōng

五 原① 春 色 旧 来② 迟 ，二 月 垂 杨 未 挂 丝③ 。
wǔ yuán chūn sè jiù lái chí èr yuè chuí yáng wèi guà sī

即 今 河 畔 冰 开 日 ，正 是 长 安 花 落 时 。
jí jīn hé pàn bīng kāi rì zhèng shì cháng ān huā luò shí

注释 ①五原：今内蒙古自治区五原县。②旧来：从古至今。③挂丝：指杨柳吐出绿芽挂上青丝。

译文 五原的春天自古就来得很迟，阳春二月杨树还没有发芽。如今黄河畔的冰才刚刚开始解冻，而长安城却是落花的暮春之时。

贞元十四年旱
甚见权门①移芍药花

吕温

绿原②青垅③渐成尘,

汲井④开园⑤日日新。

四月带花移芍药,

不知忧国是何人!

注释 ①权门:有权有势的人家。②原:田原。③垅:田埂。④汲井:凿井提水。⑤开园:开辟花园。

译文 天气干旱,绿色的原野与青色的田埂逐渐变成尘土;但那富贵人家,天天都在凿井取水、开辟新园。他们关心的只是移植带花的芍药,不知还有谁在忧国忧民!

送崔九

裴迪

归山深浅去,须尽丘壑美。

莫学武陵人①,暂游桃源里。

注释 ①武陵人:指陶渊明《桃花源记》中的武陵渔人。

译文 你若要归山,无论深浅都要去看看,山峦沟壑多么秀美,你要尽情地赏玩。千万别学陶渊明笔下的武陵人,只在桃花源游了几天就跑出来了。

寄外征衣

jì wài zhēng yī

chén yù lán
陈玉兰

fū shù biān guān qiè zài wú
夫戍①边关妾②在吴③，

xī fēng chuī qiè qiè yōu fū
西风吹妾妾忧夫。

yì háng shū xìn qiān háng lèi
一行书信千行泪，

hán dào jūn biān yī dào wú
寒到君边衣到无？

注释 ①戍：防卫。②妾：旧时妇女的自称。③吴：指江苏一带。

译文 你戍守边关，我身在吴地；当冷飕飕的西风吹到我的身上时，我为你天寒少衣无比忧愁。写完一行书信，流着千行泪水；冬寒到了你身边，也不知你收到征衣没有？

焚书坑

fén shū kēng

zhāng jié
章碣

zhú bó yān xiāo dì yè xū guān hé kōng suǒ zǔ lóng jū
竹帛①烟销帝业虚，关河②空锁祖龙③居。

kēng huī wèi lěng shān dōng luàn liú xiàng yuán lái bù dú shū
坑灰未冷山东④乱，刘项⑤原来不读书。

注释 ①竹帛：竹简和帛书，泛指书籍。②关河：主要指函谷关和黄河。③祖龙：指秦始皇。④山东：华山以东地区，指战国末年秦以外六国的地盘。⑤刘项：刘邦和项羽。

译文 竹简和帛书化为灰烟消失了，秦始皇的帝业也就跟着灭亡，虽然关河险固，但也保不住秦始皇居住的宫殿。焚书坑的余灰还未冷透，山东一带已开始造反了。推翻秦朝的刘邦和项羽，他们的出身并不是读书人呀！

咏绣幛

yǒng xiù zhàng

胡令能
hú lìng néng

日暮堂前花蕊娇，
rì mù táng qián huā ruǐ jiāo

争拈小笔上床描。
zhēng niān xiǎo bǐ shàng chuáng miáo

绣成安向春园里，
xiù chéng ān xiàng chūn yuán lǐ

引得黄莺下柳条。
yǐn dé huáng yīng xià liǔ tiáo

译文 黄昏，客厅里的鲜花开得娇艳。一群绣花女手拿小巧的画笔，争先恐后地对着鲜花在绣床上写生、描花样。她们绣的技巧太高明了，如果把绣好的屏风放到春天的花园里去，黄莺也会以为是真的鲜花，从柳枝上飞下来看花呢！

寒塘

hán táng

赵嘏
zhào gǔ

晓发梳临水①，
xiǎo fà shū lín shuǐ

寒塘坐见秋，
hán táng zuò jiàn qiū

乡心②正无限，
xiāng xīn zhèng wú xiàn

一雁度③南楼。
yí yàn dù nán lóu

注释 ①临水：靠近池面上。②乡心：思念故乡的心情。③度：飞过去的意思。

译文 大清早，我走到池塘边梳理头发，寒冷的水面，反射出四周飘零的落花和枯黄的落叶，原来已是深秋季节。想到自己离乡多年，归乡遥遥无期，猛一抬头，又见一群鸿雁朝南楼飞过，更加深了我无限的乡愁。

江楼感旧

jiāng lóu gǎn jiù

赵嘏 zhào gǔ

独上江楼思渺然①，
dú shàng jiāng lóu sī miǎo rán

月光如水水如天。
yuè guāng rú shuǐ shuǐ rú tiān

同来望月人何处？
tóng lái wàng yuè rén hé chù

风景依稀似去年。
fēng jǐng yī xī sì qù nián

注释 ①渺然：悠远的样子。

译文 我登上江边小楼，思绪悠远缥缈，月光清澈如水，水天一色。去年同来赏月的人现在不知在哪里？而眼前的风景仿佛同去年一样没有变化。

赐萧瑀

cì xiāo yǔ

李世民 lǐ shì mín

疾风知劲草，
jí fēng zhī jìn cǎo

板荡①识诚臣。
bǎn dàng shí chéngchén

勇夫安识义，
yǒng fū ān shí yì

智者必怀仁。
zhì zhě bì huái rén

注释 ①板荡：社会动荡，时局混乱。

译文 在猛烈的大风中，只有坚韧的草才不会被吹倒，国家动荡不安时才能辨识出真正的忠臣。仅仅是个勇敢的人，不一定懂得大义，有才智的人必定怀有仁爱之心。

jiāng nán qǔ sì shǒu
江南曲四首(其三)

储光羲

rì mù cháng jiāng lǐ
日暮长江里,

xiāng yāo guī dù tóu
相邀归渡头。

luò huā rú yǒu yì
落花如有意,

lái qù zhú qīng zhōu
来去逐轻舟。

译文 夕阳西下,江风习习,晚归小船上的青年男女,欢快地相邀着一起回家。缤纷的落花在江水中漂动,像是有情似的紧随着船儿不肯离去。你看,轻舟飞快地前行,落花也一路追逐,它们紧紧相随、不愿分离的情景,是多么富有情趣和情意啊!

yuè yè
月 夜

刘方平

gēng shēn yuè sè bàn rén jiā
更深月色半人家,

běi dǒu lán gān nán dǒu xié
北斗阑干①南斗斜。

jīn yè piān zhī chūn qì nuǎn
今夜偏知春气暖,

chóng shēng xīn tòu lǜ chuāng shā
虫声新透绿窗纱。

注释 ①阑干:横斜的样子。

译文 夜半更深,庭院的一半浸在朦胧的月光中,北斗星和南斗星都已经横斜在天边了。今天夜里竟意外地感到了春天的温暖,虫儿的鸣叫声第一次透进绿色的窗纱。

离思

^{lí} ^{sī}

^{yuán} ^{zhěn}
元 稹

céng jīng cāng hǎi nán wéi shuǐ
曾 经 沧 海 难 为 水,

chú què wū shān bú shì yún
除 却 巫 山 不 是 云。

qǔ cì huā cóng lǎn huí gù
取 次① 花 丛 懒 回 顾,

bàn yuán xiū dào bàn yuán jūn
半 缘② 修 道 半 缘 君。

注释 ①取次:依次。②缘:因为。

译文 见过苍茫大海的人,就不会再欣赏别处的水了,与巫山绚丽的云彩相比,别处的云朵便都相形失色了。依次经过一处处美丽的花丛,我懒得回头观看,这一半是因为修道,一半是因为思念你。

溪居即事

^{xī} ^{jū} ^{jí} ^{shì}

^{cuī} ^{dào} ^{róng}
崔道融

lí wài shuí jiā bú jì chuán
篱 外 谁 家 不 系 船,

chūn fēng chuī rù diào yú wān
春 风 吹 入 钓 鱼 湾。

xiǎo tóng yí shì yǒu cūn kè
小 童 疑 是 有 村 客,

jí xiàng chái mén qù què guān
急 向 柴 门 去 却 关。

译文 篱笆外的钓鱼湾里,忽然飘进了一条小船。呀,这是谁家的船,没有系好缆绳,吹到这里来了。一个孩子见了这条小船,以为来了客人,急忙跑过去打开柴门上的门栓,迎接客人的到来。

· 187 ·

鸡

崔道融

mǎi dé chén jī gòng jī yǔ
买 得 晨 鸡 共 鸡 语①，

cháng shí bú yòng děng xián míng
常 时 不 用 等 闲② 鸣，

shēn shān yuè hēi fēng yǔ yè
深 山 月 黑 风 雨 夜，

yù jìn xiǎo tiān tí yì shēng
欲 近 晓 天 啼 一 声。

注释 ①共鸡语：对鸡说话。②等闲：随便。

译文 买来一只报晓鸡就对鸡说，平常的时候用不着随便啼鸣，要在深山没有月亮的风雨夜，将近天亮时啼叫一声。

牧 竖①

崔道融

mù shù chí suō lì
牧 竖 持② 蓑 笠，

féng rén qì ào rán
逢 人 气 傲 然③。

wò niú chuī duǎn dí
卧 牛 吹 短 笛，

gēng què bàng xī tián
耕 却 傍 溪 田。

注释 ①牧竖：牧童。②持：穿戴。③傲然：神气的样子。

译文 牧童穿着蓑衣戴着斗笠，碰见人故意装得很神气。放牧时卧在牛背上吹短笛，牛耕田时他们就在溪边田头休息。

秋夜寄丘员外

qiū yè jì qiū yuán wài

wéi yìng wù
韦应物

怀君①属秋夜，
huái jūn zhǔ qiū yè

散步咏凉天。
sàn bù yǒng liáng tiān

空山松子落，
kōng shān sōng zǐ luò

幽人②应未眠。
yōu rén yīng wèi mián

注释 ①君：丘员外，名丹。②幽人：作者自指。

译文 我思念你丘员外，把这份情感嘱托给秋天的夜晚，我一边漫步而行，一边在带有寒意的夜空下咏叹。料想此时，你也一定是在寂静的山林间，静听松子剥落，因思念远方的我而无法入眠。

金缕衣

jīn lǚ yī

dù qiū niáng
杜秋娘

劝君莫惜①金缕衣，
quàn jūn mò xī jīn lǚ yī

劝君惜取少年时。
quàn jūn xī qǔ shào nián shí

花开堪②折直须③折，
huā kāi kān zhé zhí xū zhé

莫待无花空折枝。
mò dài wú huā kōng zhé zhī

注释 ①惜：爱惜，珍惜。②堪：能。③直须：就要。

译文 我劝你不要太爱惜华美名贵的外衣，我劝你好好珍惜青春年少的宝贵时光。树上有花可以折取的时候就应该去折，不要等到繁花落尽的时候再去折空枝。

春草

chūn cǎo

唐彦谦

天北天南绕路边，
tiān běi tiān nán rào lù biān

托①根无处不延绵。
tuō gēn wú chù bù yán mián

萋萋②总是无情物，
qī qī zǒng shì wú qíng wù

吹绿东风又一年。
chuī lù dōng fēng yòu yì nián

注释 ①托：依赖。②萋萋：草长得茂盛的样子。

译文 春天一到，天南地北路边到处都生长着小草，依赖着草根，它们无处不绵延生长。可这茂盛的春草是在催人回家，春风吹绿小草又过了一年呀！

劝学

quàn xué

孟郊

击石乃①有火，不击②元③无烟。
jī shí nǎi yǒu huǒ bù jī yuán wú yān

人学始知道④，不学非自然。
rén xué shǐ zhī dào bù xué fēi zì rán

万事须己运，他得非我贤⑤。
wàn shì xū jǐ yùn tā dé fēi wǒ xián

青春须早为，岂⑥能长少年！
qīng chūn xū zǎo wéi qǐ néng cháng shào nián

注释 ①乃：才的意思。②击：碰撞。③元：原本。④道：道理。⑤非我贤：不是因为我自己比较贤能。⑥岂：难道。

译文 石头撞击才能生出火花，不去击打它的话连烟也不会产生。人要学习才能获得知识，因为学问不会不学自来。凡事要自己努力才能成功，投机取巧得来的成就不表示自己贤能。要趁早把握美好时光，人是没有办法永葆青春呀！

登科^①后   孟 郊

dēng kē hòu   mèng jiāo

xī rì wò chuò bù zú kuā
昔 日 龌 龊^② 不 足 夸 ，

jīn zhāo fàng dàng sī wú yá
今 朝 放 荡 思 无 涯 。

chūn fēng dé yì mǎ tí jí
春 风 得 意 马 蹄 疾^③ ，

yí rì kàn jìn cháng ān huā
一 日 看 尽 长 安 花 。

注释 ①登科：指考中进士。②龌龊：原指不干净，此指穷困潦倒。③疾：快。

译文 昔日穷困潦倒不值得夸，今日恣意放纵感慨无穷。春风吹得人神清气爽，马蹄声也格外轻快，一日之内便看完了长安所有的花。

古别离   孟 郊

gǔ bié lí   mèng jiāo

yù bié qiān láng yī
欲 别 牵 郎 衣 ，

láng jīn dào hé chù
郎 今 到 何 处 ？

bú hèn guī lái chí
不 恨 归 来 迟 ，

mò xiàng lín qióng qù
莫 向 临 邛^① 去 。

注释 ①临邛：在四川省。汉朝司马相如客游临邛，曾经和卓文君恋爱。

译文 送别时，边拉着丈夫的衣服，边问：你这次外出要到哪里去？我不怨恨你迟迟回家，只希望你不要另有新欢，把我忘记。

洛桥①晚望

luò qiáo wǎn wàng

孟 郊

天津桥下冰初结，

洛阳陌②上人行绝。

榆柳萧疏③楼阁闲，

月明直见嵩山雪。

注释 ①洛桥：即天津桥，在今洛阳西南洛水之上。②陌：小路。③萧疏：指树木叶落。

译文 天津桥下水面上刚刚结了一层薄冰，洛阳城外的小路上一个人也没有。榆树柳树的叶子落了，街上的楼阁也冷冷清清。远望城外的嵩山，只见月光照着山峰顶上的皑皑白雪。

游子吟

yóu zǐ yín

孟 郊

慈母手中线，游子身上衣。

临行密密缝，意恐迟迟归。

谁言寸草①心，报得三春晖②。

注释 ①寸草：比喻非常微小。②三春晖：三春，指春天的孟春、仲春、季春；晖，阳光；形容母爱如春天和煦的阳光。

译文 慈母飞针走线，赶制着远行孩子的新衣，临行时密密的针线，写下了母亲的担忧，不知孩子何时才能回来啊。谁能说像小草的那点孝心，可报答春晖般的慈母恩惠？

丹阳送韦参军

dān yáng sòng wéi cān jūn

严维
yán wéi

丹阳郭里送行舟，
dān yáng guō lǐ sòng xíng zhōu

一别心知两地秋。
yì bié xīn zhī liǎng dì qiū

日晚江南望江北，
rì wǎn jiāng nán wàng jiāng běi

寒鸦飞尽水悠悠①。
hán yā fēi jìn shuǐ yōu yōu

注释 ①悠悠：长久，遥远。

译文 丹阳城外送友人登上远行的客船，我心里知道这一别之后，将天各一方长久思念。太阳已经落下去了，我仍站在江南望着江北，晚归的乌鸦都飞回了巢，只剩下悠悠的江水流向远方。

渔父

yú fù

李中
lǐ zhōng

偶向芦花深处行，
ǒu xiàng lú huā shēn chù xíng

溪光山色晚来晴。
xī guāng shān sè wǎn lái qíng

渔家开户相迎接，
yú jiā kāi hù xiāng yíng jiē

稚子①争窥犬吠声。
zhì zǐ zhēng kuī quǎn fèi shēng

注释 ①稚子：小孩子。

译文 偶尔兴致勃勃，跨步向前，走向芦花繁茂之地，溪面上铺满霞光，傍晚的山色格外晴朗。渔民们打开门，热情地把我欢迎，没见过多少陌生人的小孩子，都争着挤着从门缝里偷偷地观看我，引得村中的狗儿争相狂吠。

shí yuè shí wǔ yè
十月十五夜
苏味道

huǒ shù yín huā ① hé ②，xīng qiáo ③ tiě suǒ kāi
火树银花①合②，星桥③铁锁开。

àn chén suí mǎ qù， míng yuè zhú rén lái
暗尘随马去，明月逐人来。

yóu jì ④ jiē nóng lǐ ⑤， xíng gē jìn lào méi
游妓④皆秾李⑤，行歌尽落梅。

jīn wú ⑥ bú jìn yè， yù lòu ⑦ mò xiāng cuī
金吾⑥不禁夜，玉漏⑦莫相催。

注释 ①火树银花：指花草树木之间的华灯璀璨、光彩照人。②合：相连。③星桥：指灯光映照下的护城河桥。④游妓：游乐的歌妓。⑤秾李：李树的繁茂，以此比喻容貌娇美、服饰艳丽。⑥金吾：官名，负责京城的保卫。⑦玉漏：古代用来计时的一种装置。

译文 华丽的烟火照亮了夜空，花木丛中的华灯璀璨。星月映照灯烛点缀下的护城河桥的铁锁，也打开了。马蹄扬起的尘土，随着马的驰去而渐渐消逝。当空明月跟随游人一起赏灯，女子衣着华丽边漫步边尽情唱着《梅花落》。今夜，禁卫军解除了宵禁，计时的玉漏呀，请不要来催促时光的流逝！

dù hàn jiāng
渡汉江
宋之问

líng wài yīn shū duàn， jīng dōng fù lì chūn
岭外音书断，经冬复历春。

jìn xiāng qíng gèng qiè， bù gǎn wèn lái rén
近乡情更怯，不敢问来人。

译文 我被贬居在五岭之外，与家中的亲人中断了音信，挨过了冬天又挨过春天这漫长的时间。如今离家乡越来越近，心里反而更加害怕、慌乱起来，甚至不敢向家乡来的人打听消息。

长干曲(之二)

cháng gān qǔ (zhī èr)

崔颢 cuī hào

家临九江①水，
jiā lín jiǔ jiāng shuǐ

来去九江侧。
lái qù jiǔ jiāng cè

同是长干②人，
tóng shì cháng gān rén

生小不相识。
shēng xiǎo bù xiāng shí

注释 ①九江：指长江。②长干：地名。

译文 我的家在长江岸边，经常在长江边上来往。虽然咱们都是从小在长干长大的，可是互相谁也不认识谁。

古谣①

gǔ yáo

王建 wáng jiàn

一东一西陇头②水，
yì dōng yì xī lǒng tóu shuǐ

一聚一散天边霞。
yí jù yí sàn tiān biān xiá

一来一去道上客，
yì lái yí qù dào shàng kè

一颠一倒池中麻。
yì diān yì dǎo chí zhōng má

注释 ①古谣：古代民谣。②陇头：地名。陇为甘肃省的别称。

译文 陇头的水，一条向东流，一条向西流，天边的云霞有时聚拢有时散开。路上的行人有来有往，钻出水面的麻和它在水中的倒影，一颠一倒，相映成趣。

新嫁娘词
xīn jià niáng cí

王 建 wáng jiàn

三日入厨下，
sān rì rù chú xià

洗手做羹①汤。
xǐ shǒu zuò gēng tāng

未谙②姑③食性，
wèi ān gū shí xìng

先遣小姑④尝。
xiān qiǎn xiǎo gū cháng

注释 ①羹：带汁的肉。②谙：熟悉。③姑：婆婆。④小姑：小姑子。

译文 新婚三日，进入厨房做饭菜。洗净手后便做菜肴和汤。我不了解婆婆的口味，做好后先让小姑子尝一尝，看是否可口。

十五①夜望月寄杜郎中②
shí wǔ yè wàng yuè jì dù láng zhōng

王 建 wáng jiàn

中庭地白树栖③鸦，
zhōng tíng dì bái shù qī yā

冷露无声湿桂花。
lěng lù wú shēng shī guì huā

今夜月明人尽望，
jīn yè yuè míng rén jìn wàng

不知秋思落谁家。
bù zhī qiū sī luò shuí jiā

注释 ①十五：农历八月十五。②郎中：官名。③栖：歇。

译文 庭院中地上洒着银白的中秋月光，树枝上乌鸦静静地安歇。夜间清冷的秋露无声无息地打湿了庭院中的桂花，今天夜晚，人们都仰望着明月，不知那秋天的思愁又落到了谁的家中。

左掖^①梨花

zuǒ yè lí huā

丘为

qiū wèi

冷艳全欺雪，余香乍入衣；

lěng yàn quán qī xuě　　yú xiāng zhà rù yī

春风且莫定^②，吹向玉阶^③飞。

chūn fēng qiě mò dìng　　chuī xiàng yù jiē fēi

注释 ①左掖：左边宫殿的旁边。②莫定：不定，无法掌控。③玉阶：指王宫的石阶。

译文 外观冰冷而艳丽的梨花，凌驾在雪花之上，虽然它开在左侧宫殿的旁边，但它的余香仍然可以传入正殿，附着在君王的龙袍上。不过，春风的方向不定，谁知道它什么时候才会被吹到正殿的玉阶上飞舞呢？

柳州^①二月

liǔ zhōu èr yuè

榕叶落尽偶题

róng yè luò jìn ǒu tí

柳宗元

liǔ zōngyuán

宦情^②羁思^③共凄凄，春半^④如秋意转迷。

huàn qíng jī sī gòng qī qī　　chūn bàn rú qiū yì zhuǎn mí

山城^⑤过雨百花尽，榕叶满庭莺乱啼。

shānchéng guò yǔ bǎi huā jìn　　róng yè mǎn tíng yīng luàn tí

注释 ①柳州：在今广西。②宦情：做官的心情。③羁思：寄居客乡的忧虑。④春半：春季二月。⑤山城：即柳州。

译文 官场上的失意和寄居他乡的忧思交织在一起，令人伤感凄凉；春天虽然才过去一半，但这如凉秋般的天气，更使人心绪迷乱。山城的雨后，百花凋零，榕树落满庭院，黄莺鸟儿的啼鸣十分嘈杂。

与浩初上人
同看山寄京华亲故

柳宗元

海畔尖山似剑铓，
秋来处处割愁肠。
若为化得身千亿，
散向峰头望故乡！

译文 海边尖耸的山峰像一把把利剑，在秋天来临之际，切割着我的愁肠。如果能将自己化成千亿个，就散向每一个峰顶，眺望我的故乡。

渔 翁

柳宗元

渔翁夜傍①西岩宿，晓汲②清湘③燃楚竹。
烟销日出不见人，欸乃一声山水绿。
回看天际下中流，岩上无心云相逐。

注释 ①傍：依傍。②汲：打水。③清湘：清澈的湘江水。

译文 昨天夜晚，一位渔翁在西岩下留宿，拂晓刚至，他便开始汲取清澈的湘江水，燃烧起干枯的楚竹准备早餐。等到烟消雾散，红日东升时，已不见渔翁的影子，只有摇橹声和渔翁那嘹亮的渔歌在青山绿水间飘荡。当小船驶入中流，渔翁回首远望，只见西岩上悠然飘荡的云彩在竞相追逐。

和练秀才杨柳
hé liàn xiù cái yáng liǔ

杨巨源

水边杨柳曲尘丝，
立马烦君折一枝。
惟有春风最相惜，
殷勤更向手中吹。

译文 水边的杨柳垂着像酒曲一样嫩黄的枝条，我停下马，感激地接过你为我折下的柳枝。只有春风最爱惜杨柳，更加深情地吹拂我手中的柳枝。

城东早春
chéngdōng zǎo chūn

杨巨源

诗家清景在新春，
绿柳才黄半未匀。
若待上林花似锦，
出门俱是看花人。

译文 诗人最喜爱的景色就是这清新的早春，柳条浅黄嫩绿的新芽儿还未抽匀。如果等到上林苑繁花盛开的时候，出门的都是到上林苑赏花的人。

孤 雁

崔涂

几行①归塞尽，念尔②独何之。

暮雨相呼失，寒塘独下迟。

渚③云低暗度，关月冷相随。

未必逢矰④缴，孤飞自可疑。

注释 ①几行：指群雁。②尔：指孤雁。③渚：水中小洲。④矰：射鸟的箭。

译文 一行行大雁都飞回了塞上，我记挂你这独飞的鸿雁不知去何处。暮雨中你凄凉地呼唤丢失的伙伴，你想落下寒塘栖息却又畏惧迟疑。沙渚上你垂低身影暗暗飞过，唯有一轮关山冷月苦苦伴随。你虽然不一定会遭到暗箭，但你独飞的确令人对你的命运产生怀疑。

雨 晴

王驾

雨前初见花间蕊①，雨后兼无②叶里花。

蜂蝶飞来过墙去，却疑春色在邻家。

注释 ①花间蕊：即花心。②兼无：同时失去。

译文 雨前，花儿刚刚吐出了娇嫩的花蕊，一场春雨过后，却只剩下绿叶。叶下的花儿不见了，翩翩飞来的蜂蝶纷纷飞过墙去，真叫人怀疑春色是不是在邻家的花园里呢？

社日^①

shè rì

王驾 wáng jià

鹅湖山^②下稻粱^③肥，
é hú shān xià dào liáng féi

豚^④栅鸡栖半掩扉^⑤。
tún zhà jī qī bàn yǎn fēi

桑柘影斜春社散，
sāng zhè yǐng xié chūn shè sàn

家家扶得醉人归。
jiā jiā fú dé zuì rén guī

注释 ①社日：古代农村在春分前后祭土地神和五谷神的日子。②鹅湖山：在今江西铅山县内。③稻粱：泛指农作物。④豚：猪。⑤扉：门扇。

译文 鹅湖山下庄稼长势旺盛，猪圈、鸡舍的门半敞半开。太阳落山，桑树、柘树影子淡斜，春社结束了，家家都搀扶着酒醉之人返回家中。

拜新月^①

bài xīn yuè

李端 lǐ duān

开帘见新月，
kāi lián jiàn xīn yuè

便即下阶拜。
biàn jí xià jiē bài

细语^②人不闻，
xì yǔ rén bù wén

北风吹裙带。
běi fēng chuī qún dài

注释 ①新月：农历初三、初四夜晚的月亮。②细语：指少女对月倾诉的轻声说话。

译文 拉开窗帘，见一弯新月挂在天空，就立即在阶前跪拜。少女对月细语不能让人听到，但见阵阵北风吹动了她的裙带。

野望 _{yě wàng}

王绩

dōng gāo bó mù wàng　　xǐ yǐ　yù hé yī
东皋薄暮望，徙倚^①欲何依。

shù shù jiē qiū sè　　shān shān wéi luò huī
树树皆秋色，山山唯落晖。

mù rén qū dú　fǎn　liè mǎ dài qín guī
牧人驱犊^②返，猎马带禽归。

xiāng gù wú xiāng shí　cháng gē huái cǎi wēi
相顾无相识，长歌怀采薇^③。

注释　①徙倚：徘徊，彷徨。②犊：小牛。③怀采薇：薇，蕨薇，可以食用；想到古代伯夷与叔齐一同采薇而食。

译文　我在东皋眺望天际淡淡的暮色，心里彷徨而苦闷。那大地的树木都枝黄叶落，染上了凄凉的秋色；那一座座山丘，留下了一片夕阳的余晖。放牧人赶着牛回家，打猎的人带着猎物归来。我和他们相遇而不相识。我高歌那古代的伯夷与叔齐，他们以采薇度日，实在令人怀念。

农家 _{nóng jiā}

颜仁郁

yè bàn hū ér chèn xiǎo gēng　　léi　niú wú lì jiàn jiān xíng
夜半呼儿趁晓耕，羸^①牛无力渐艰行。

shí rén　bù shí nóng jiā kǔ　jiāng wèi　tián zhōng gǔ zì shēng
时人^②不识农家苦，将谓^③田中谷自生。

注释　①羸：瘦弱。②时人：指世人。③将谓：还以为。

译文　半夜里就叫醒孩儿趁早耕耘，那瘦弱无力的老牛非常艰难地朝前走着。世人哪儿知道农民的辛苦呢？还以为田地中的禾苗都是自己生长起来的。

唐诗三百首

少年行① shào nián xíng
令狐楚 lìng hú chǔ

弓背霞明剑照霜，
秋风走②马出咸阳③。
未收天子河湟④地，
不拟回头望故乡。

注释 ①少年行：古时歌曲名。②走：跑。③咸阳：指京城长安。④河湟：指青海湟水流域和黄河西部，当时为异族所占。

译文 弓背如彩霞明亮，宝剑磨得像霜雪一样闪亮，迎着秋风跨上战马奔驰出咸阳。不收复河湟一带失地，我誓不回头眺望故乡。

悯农（其二） mǐn nóng
李绅 lǐ shēn

春种一粒粟①，
秋收万颗子。
四海②无闲田，
农夫犹③饿死。

注释 ①粟：本指谷子，此泛指粮食。②四海：指全国。③犹：还。

译文 春天播下一粒种子，秋天收获千万颗粮食。四海之内没有一块闲置的土地，可是种田的仍然还有被饿死的。

· 203 ·

伤田家

聂夷中

二月卖新丝，五月粜①新谷。

医得眼前疮，剜却心头肉。

我愿君王心，化作光明烛。

不照绮罗筵，只照逃亡屋。

注释 ①粜：出卖粮食。

译文 二月蚕种初生，五月秧苗刚插，可农民就把还没有产出的蚕丝、稻谷抵押出去了。这就是为了解救眼前的急难，不得不"挖肉补疮"。我多么希望君王的心能化作那闪光的烛光，不去光顾富贵人家的筵席，而给那些穷苦逃亡人家的破屋带来光明。

蜂

罗隐

不论平地与山尖①，

无限风光尽被占。

采得百花成蜜后，

为谁辛苦为谁甜？

注释 ①山尖：山峰。

译文 无论是在田野还是在山冈，凡是鲜花盛开的地方，蜜蜂就不畏艰险，辛勤采蜜。它们采得百花酿成了花蜜之后，还不知为谁甜蜜而自甘辛苦呢！

liángzhōu cí
凉州词　　　王　翰

pú táo měi jiǔ yè guāng bēi
葡萄美酒夜光杯①，

yù yǐn pí pá mǎ shàng cuī
欲饮琵琶马上催。

zuì wò shā chǎng jūn mò xiào
醉卧沙场君莫笑，

gǔ lái zhēng zhàn jǐ rén huí
古来征战几人回？

注释　①夜光杯：一种白玉制成的杯子。

译文　夜光杯中盛满葡萄美酒，正想开怀畅饮，马上琵琶声频催。即使喝醉了倒在战场上你也别笑，自古男儿出征，有几人活着回来？

guī yàn
归　雁　　　钱　起

xiāo xiāng hé shì děng xián huí
潇湘①何事等闲②回③？

shuǐ bì shā míng liǎng àn tái
水碧沙明两岸苔。

èr shí wǔ xián tán yè yuè
二十五弦④弹夜月，

bù shēng qīng yuàn què fēi lái
不胜清怨却飞来。

注释　①潇湘：指湖南省的潇水与湘水。②等闲：随便。③回：回转，湖南衡阳有回雁峰，相传北雁南飞至此，不再越过而回转。④二十五弦：指古乐器瑟。胜：忍受。

译文　大雁呀，你为何要从水碧沙明、水草丰盛的潇湘飞回来啊？想必是那湘江女神在深夜月光下弹瑟，那凄切悲哀的瑟声使你不堪忍受。

柏林寺南望

bǎi lín sì nán wàng

郎士元
láng shì yuán

溪上遥闻精舍①钟，
xī shàng yáo wén jīng shè zhōng

泊舟微径②度③深松。
bó zhōu wēi jìng dù shēn sōng

青山霁④后云犹在，
qīng shān jì hòu yún yóu zài

画出西南四五峰。
huà chū xī nán sì wǔ fēng

注释 ①精舍：佛寺，这里指柏林寺。②微径：弯曲的小路。③度：经过。④霁：雨后初晴。

译文 在小溪上就远远地听到了柏林寺的钟声，我离船上岸，走过山间的小路，穿过茂密的松林，直奔寺院。雨过天晴，苍翠的山上云朵还在慢悠悠地飘荡，仿佛是它刚刚画出西南方的四五座山峰。

听邻家吹笙

tīng lín jiā chuī shēng

郎士元
láng shì yuán

凤吹①声如隔彩霞，
fèng chuī shēng rú gé cǎi xiá

不知墙外是谁家。
bù zhī qiáng wài shì shuí jiā

重门深锁无寻处，
chóng mén shēn suǒ wú xún chù

疑有碧桃千树花。
yí yǒu bì táo qiān shù huā

注释 ①凤吹：指吹笙。

译文 那美妙的笙曲仿佛隔着彩霞飘过来，不知墙外吹笙的是哪一户人家。一道道门紧锁着，无处寻找，我想那吹笙的院落里一定开满了千树万树的桃花。